日本語能力試験
PREPARATORY COURSE FOR
THE JAPANESE LANGUAGE
PROFICIENCY TEST

編・著 星野恵子/松本節子

改訂版

N5
読む
文字・語彙・文法

UNICOM Inc.

はじめに

この本は日本語初級の前半（N5レベル）の勉強をまとめたものです。内容は、文字（漢字）、ことば、文法、だいじな言い方、会話の表現などです。読解と聴解以外のN5レベルの勉強が全部できます。

この本を使ってできること：

◇ わかりやすい説明と例文がありますから、一人で勉強することができます。

◇ 練習問題もたくさんありますから、どれぐらいわかったかを自分でチェックすることができます。

◇ 日本語能力試験のN5レベルの準備ができます。

この本の内容：

文字（漢字）

「日本語能力試験 N5」に出る漢字を勉強します。100字ぐらいですから、そんなにたくさんありません。練習問題をしながら楽しくおぼえてください。

ことば

「日本語能力試験 N5」に出ることばが場面・トピック別に出ています。練習問題で自分のことばの知識をチェックしてください。知らないことばはマーカーで印をつけて、しっかりおぼえましょう。

文法

初級のはじめのだいじな文法が全部出ています。説明と例文でわかりますが、英語の翻訳もついています。動詞、形容詞の「〜形」は、頭で理解するだけでなく、口に出して言って覚えましょう。

だいじな言い方

表現文型、副詞、接続詞などのだいじな言い方が集めてあります。試験によく出ることばがたくさんあります。例文があるので、例文といっしょにおぼえるのが上手な勉強のしかたです。すきな例文を一つ選んで、声に出して言ってみましょう。

会話の表現

試験に出るのは、文法やことばだけではありません。会話でよく使う表現の問題も出ます。試験の勉強だけでなく、実際の日常会話もおぼえましょう。

Introduction

This book has been written as a study guide for the Japanese Language Proficiency Test (JLPT), Level N5. The contents include characters (*kanji*), words, grammar, important forms of speech, and conversational expressions. Apart from reading comprehension and listening comprehension, all the material tested by JLPT Level N5 is covered.

The advantages of this book include:

- ◆ Simple explanations and model sentences, which allow you to study by yourself;
- ◆ Numerous practice problems, which allow you to check your comprehension level; and
- ◆ Content designed as preparation for Level N5.

Characters (*Kanji*)

Study *kanji* that will appear in the Level N5 test. You will need to know about 100 characters, which is not that many. Have fun learning while answering the practice problems.

Words

The words that appear in Level N5 are classified by situation and topic. Please use the practice problems to check your vocabulary. You can use a marker to highlight words you do not know.

Grammar

All important basic level grammar is covered. In addition to Japanese explanations and model sentences, English translations are provided for reference. Read the verb and adjective forms out loud so that you remember them as well as understand them.

Important forms of speech

This chapter includes sentence patterns, adverbs, conjunctions, and other important forms of speech, using words that often appear in the test. Using model sentences is a good way to study this material. Choose one that you like and read it out loud.

Conversational expressions

Level N5 does not only test grammar and vocabulary but also expressions commonly used in conversation. In addition to preparing for the test you will learn everyday conversation.

目次

はじめに 2
目次 6

ことば・文字 13

N5のことば 14
　練習問題
　　＜もんだい 1-1＞ 20
　　＜もんだい 1-2＞ 24
　　＜もんだい 1-3＞ 28
　　＜もんだい 2＞ 32

N5の文字（漢字） 36
　練習問題
　　＜よみかた 50＞ 39
　　＜かきかた 50＞ 46

文法 53

1 助詞
　1. が 54

2. は 56
3. を 58
4. に 60
5. で 64
6-1. も 69
6-2. か・も 70
7. に・で・へ・と・から＋も 71
8. に・で・へ・と・から＋は 72
9. から・まで 73
10. と 74
11. や・など 75
12. か 76
13-1. ね 78
13-2. よ 79
14. わ 80
練習問題 81

2 こ・そ・あ・ど

1. これ・それ・あれ・どれ 84
2. この・その・あの・どの 86
3. ここ・そこ・あそこ・どこ
   こっち・そっち・あっち・どっち
   こちら・そちら・あちら・どちら 87

7

練習問題 88

3 形容詞

1. ウォーミングアップ 90
2. 活用表 93

練習問題 96

■形容詞が 副詞に なる■ 98

4 動詞

1. ウォーミングアップ 100
2. 動詞の かたち 104

5 名詞を せつめいする ほうほう 106

■名詞、形容詞＋の■ 107

1. 名詞＋の＋名詞 108
2. い形容詞＋名詞 109
3. な形容詞＋名詞 110
4. 動詞普通形＋名詞 111
5. 名詞＋と いう＋名詞 112

練習問題 113

6 動詞 - て形

1. て形の かたち 115

2. て形の つかいかた 116
3. て ください 117
練習問題 118

7 ぶんを「て・で」で つなぐ ほうほう

1. 名詞で、〜 119
2. な形容詞で、〜 120
3. い形容詞くて、〜 121
練習問題 122

8 自動詞・他動詞/〜て いる・〜て ある

1. ウォーミングアップ 123
2. 自動詞・他動詞 125
3. 〜て います 126
4. 〜て あります 127
5. 「自動詞＋て いる」と「他動詞＋て ある」のまとめ 128
練習問題 129

9 文の文法(文の組み立て)

1. 文の かたち 131
＜もんだいの れんしゅう＞ 133
■文章の文法■ 135

練習問題
    ＜文の文法１＞ 138
    ＜文の文法２＞ 143
    ＜文章の文法＞ 146

だいじな表現

1. が・でも・しかし 148
2. ながら 149
3. とき 150
4. まえに 151
5. ～た あとで 152
6. ～てから 153
7. ～たり、～たり します 154
   ＜これもおぼえましょう＞～中・～中 155
8. どうして・なぜ 156
9. から 157
10. どう・いかが 158
11. どんな 159
12. どのぐらい（どれぐらい）
    どのくらい（どれくらい） 160
13. ごろ・くらい（ぐらい） 161
14. だけ・しか 162

15. ずつ	163
16. それから	164
17. もう	165
18. もっと	166
19. いつも	167
20. たいてい	168
21. ときどき	169
22. よく	170
23. また	171
24. あまり ～ない	172
25. ちょっと	174
26. ちょうど	175
27. それでは	176
28. もちろん	177
29-1. ～く なります	178
29-2. ～に なります	179
30-1. ～く します	180
30-2. ～に します	181
31. だんだん	182
32. もう・まだ	183

練習問題
   <もんだい 1 > 184
   <もんだい 2 > 189

会話の表現

1. ～を ください 190
2. ～が ほしいです 191
3. …が/を ～たい 192
4. ～ませんか 193
5. ～ましょう 194
6. (たぶん)～でしょう 195
7. はじめまして
   どうぞ よろしく
   こちらこそ 196
8. どう いたしまして 197
9. すみません 198
10. いただきます・ごちそうさま 200
11. けっこうです 201
12. たいへんです 203

練習問題 204

ことば・文字

Ｎ５のことば

① 人　　　　　　　　　　　Person

人(ひと)	父(ちち)	母(はは)	親(おや)
お父(とう)さん	お母(かあ)さん	伯父/叔父(おじ)さん	伯母/叔母(おば)さん
おじいさん	おばあさん	兄弟(きょうだい)	兄・お兄(あに・にい)さん
姉・お姉(あね・ねえ)さん	妹・妹(いもうと)さん	弟・弟(おとうと)さん	主人・御主人(しゅじん・ごしゅじん)
妻・奥(つま・おく)さん	家族(かぞく)	男(おとこ)	男の子(おとこ)
女(おんな)	女の子(おんな)	方(かた)	大人(おとな)
子供(こども)	あなた	自分(じぶん)	生徒(せいと)
先生(せんせい)	学生(がくせい)	留学生(りゅうがくせい)	おまわりさん
医者・お医者(いしゃ)さん	友達(ともだち)	外国人(がいこくじん)	
みなさん	だれ	どなた	～たち

② くらし（衣食住(いしょくじゅう)・生活用品(せいかつようひん)）　Living

飲(の)み物(もの)	食(た)べ物(もの)	朝御飯(あさごはん)	昼御飯(ひるごはん)
晩御飯(ばんごはん)	飴(あめ)	お菓子(かし)	お酒(さけ)
お茶(ちゃ)	お弁当(べんとう)	カレー	牛乳(ぎゅうにゅう)
果物(くだもの)	野菜(やさい)	御飯(ごはん)	砂糖(さとう)
塩(しお)	しょうゆ	料理(りょうり)	バター
パン	肉(にく)	牛肉(ぎゅうにく)	とり肉(にく)
豚肉(ぶたにく)	卵(たまご)	ちゃわん	はし
お皿(さら)	コップ	ナイフ	フォーク
スプーン	灰皿(はいざら)	靴(くつ)	スリッパ
靴下(くつした)	服(ふく)	洋服(ようふく)	コート
シャツ	ワイシャツ	スカート	ズボン

★形容詞(けいようし)はＰ90、動詞(どうし)はＰ100にあります。

1. Ｎ５のことば

セーター	背広(せびろ)	ハンカチ	帽子(ぼうし)
ポケット	ボタン	たばこ	せっけん
洗濯(せんたく)	掃除(そうじ)	買(か)い物(もの)	家(いえ)
部屋(へや)	台所(だいどころ)	御手洗(おてあら)い・トイレ	
お風呂(ふろ)	戸(と)	ドア	窓(まど)
庭(にわ)	机(つくえ)	テーブル	いす
本棚(ほんだな)	ベッド	ストーブ	電気(でんき)
電話(でんわ)	家庭(かてい)		

③ 物(もの)(道具(どうぐ)・乗(の)り物(もの)) Thing, Vehicle

物(もの)	お金(かね)	眼鏡(めがね)	かばん
ペン	ボールペン	鉛筆(えんぴつ)	紙(かみ)
箱(はこ)	封筒(ふうとう)	葉書(はがき)	切手(きって)
本(ほん)	雑誌(ざっし)	新聞(しんぶん)	辞書(じしょ)
地図(ちず)	カレンダー	冷蔵庫(れいぞうこ)	テレビ
ラジオ	テープ	テープレコーダー	カメラ
時計(とけい)	ギター	フィルム	傘(かさ)
花瓶(かびん)	切符(きっぷ)	車(くるま)・自動車(じどうしゃ)	自転車(じてんしゃ)
飛行機(ひこうき)	船(ふね)	エレベーター	エスカレーター

④ 時(とき) Time

時間(じかん)	今日(きょう)	昨日(きのう)	あした
あさって	おととい	午前(ごぜん)	午後(ごご)

N5のことば

今年(ことし)	来年(らいねん)	去年(きょねん)	おととし
さ来年(さらいねん)	今週(こんしゅう)	来週(らいしゅう)	先週(せんしゅう)
今月(こんげつ)	来月(らいげつ)	先月(せんげつ)	朝(あさ)
昼(ひる)	夕方(ゆうがた)	晩・夜(ばん・よる)	ゆうべ
今朝(けさ)	今晩(こんばん)	一日(ついたち)	二日(ふつか)
三日(みっか)	四日(よっか)	五日(いつか)	六日(むいか)
七日(なのか)	八日(ようか)	九日(ここのか)	十日(とおか)
二十日(はつか)	一日(いちにち)	一月(ひとつき)	～日(にち)
～週間(しゅうかん)	～年(ねん)	～時(じ)	～分(ふん)
～半(はん)	～すぎ	毎朝(まいあさ)	毎日(まいにち)
毎週(まいしゅう)	毎月(まいつき)	毎年(まいとし/まいねん)	毎晩(まいばん)
春(はる)	夏(なつ)	秋(あき)	冬(ふゆ)
日曜日(にちようび)	月曜日(げつようび)	火曜日(かようび)	水曜日(すいようび)
木曜日(もくようび)	金曜日(きんようび)	土曜日(どようび)	夏休み(なつやすみ)
誕生日(たんじょうび)	初めて(はじめて)	いつも	時々(ときどき)
半(はん)	今(いま)	先(さき)	後(あと)
～中(ちゅう)(中(じゅう))	～ころ(ごろ)	いつ	

⑤ 場所(ばしょ)(位置(いち)・方向(ほうこう))   Place

ここ	こちら	こっち	そこ
そちら	そっち	あそこ	あちら
あっち	どこ	どちら	どっち
上(うえ)	下(した)	中(なか)	右(みぎ)

1. Ｎ５のことば

ひだり 左	そと 外	まえ 前	うし 後ろ
よこ 横	きた 北	ひがし 東	にし 西
みなみ 南	かど 角	～がわ ～側	む 向こう
となり 隣	へん 辺（この辺）	そば	ちか 近く
がいこく 外国	くに 国	きょうしつ 教室	い ぐち 入り口
で ぐち 出口	げんかん 玄関	かいだん 階段	ところ 所

⑥ 街（建物・公共しせつ） Town

たてもの 建物	みち 道	はし 橋	もん 門
アパート	いえ 家	うち	かいしゃ 会社
えいがかん 映画館	デパート	みせ 店	～や ～屋
スーパー	コンビニ（コンビニエンスストア）		きっさてん 喫茶店
レストラン	しょくどう 食堂	がっこう 学校	だいがく 大学
としょかん 図書館	たいしかん 大使館	ホテル	ゆうびんきょく 郵便局
ぎんこう 銀行	びょういん 病院	プール	こうばん 交番
こうえん 公園	えき 駅	でんしゃ 電車	ちかてつ 地下鉄
バス	タクシー	しんかんせん 新幹線	

⑦ 体（健康） Body
からだ　けんこう

からだ 体	あたま 頭	かお 顔	め 目
みみ 耳	はな 鼻	くち 口	は 歯
おなか	て 手	あし 足	せ/せい 背
こえ 声	かぜ 風邪	くすり 薬	

Ｎ５のことば

⑧ 自然（生物・天候）　　Nature

てんき 天気	あめ 雨	かぜ 風	ゆき 雪
そら 空	やま 山	うみ 海	かわ　かわ 川・河
いけ 池	どうぶつ 動物	いぬ 犬	とり 鳥
さかな 魚	き 木	はな 花	みず 水

⑨ 数（量）　　Number

いち 一	ひと 一つ	に 二	ふた 二つ
さん 三	みっ 三つ	し/よん 四	よっ 四つ
ご 五	いつ 五つ	ろく 六	むっ 六つ
しち/なな 七	なな 七つ	はち 八	やっ 八つ
く/きゅう 九	ここの 九つ	じゅう 十	とお 十
ひゃく 百	せん 千	まん 万	れい ゼロ・零

キロ「キログラム」　　　　キロ「キロメートル」

グラム　　　メートル　　　いくつ　　　いくら

〜くらい・ぐらい　　　　　みんな　　　ぜんぶ
全部

かい 〜回	かい 〜階	げつ 〜か月	がつ 〜月
さい 〜歳	はたち 二十歳	さつ 〜冊	だい 〜台
ど 〜度	はい 〜杯	ばん 〜番	ばんごう 番号
はんぶん 半分	ひき 〜匹	ほん 〜本	まい 〜枚
にん 〜人	ひとり 一人	ふたり 二人	

1. N5のことば

⑩ ようす・状態(副詞など) Condition/State

色(いろ)	青(あお)	赤(あか)	茶色(ちゃいろ)
いちばん	一緒(いっしょ)	いろいろ	同(おな)じ
こんな	どんな	すぐ・すぐに	たくさん
少(すこ)し	ちょっと	だんだん	ちょうど
もっと	とても	本当(ほんとう)に	どう／いかが
まっすぐ	ゆっくり・ゆっくりと		

⑪ 仕事(しごと)・勉強(べんきょう)・趣味(しゅみ)・ごらく・その他(た) Diverse

歌(うた)	音楽(おんがく)	ＣＤ	絵(え)
写真(しゃしん)	散歩(さんぽ)	旅行(りょこう)	映画(えいが)
スポーツ	パーティー	ニュース	勉強(べんきょう)
宿題(しゅくだい)	テスト	問題(もんだい)	質問(しつもん)
練習(れんしゅう)	作文(さくぶん)	漢字(かんじ)	ひらがな
かたかな	英語(えいご)	言葉(ことば)	意味(いみ)
授業(じゅぎょう)	クラス	ノート	ページ
手紙(てがみ)	名前(なまえ)	話(はなし)	仕事(しごと)
休(やす)み	結婚(けっこん)	はい	ええ
いいえ	もしもし	では	どうぞ
どうも	また	まだ	もう
～など	外(ほか)	何(なに)	

N5のことば　練習問題 <もんだい1-1>

_____ に　なにを　いれますか。1・2・3・4から　いちばん　いい ものを　ひとつ　えらんで　ください。

1　_____ に　花を　入れます。

1. ちゃわん　　2. かびん　　3. コップ　　4. はいざら

2　先生は　学校で　_____ を　します。学生は　べんきょうを します。

1. しゅくだい　　　　2. じしょ
3. じゅぎょう　　　　4. きょうしつ

3　_____ で　手を　あらいます。

1. スリッパ　　2. でんき　　3. ハンカチ　　4. せっけん

4　_____ へ　買いものに　行きました。

1. デパート　　　　2. アパート
3. たいしかん　　　4. としょかん

答え：1-2、2-3、3-4、4-1

1. Ｎ５のことば

⑤ 日本の いえに 入る とき、＿＿＿＿ で くつをぬぎます。

1. げんかん　　　　　　2. へや
3. ふろ　　　　　　　　4. もん

⑥ かりたい 本が ありますから、＿＿＿＿ へ 行きます。

1. おてあらい　　　　　2. ゆうびんきょく
3. えいがかん　　　　　4. としょかん

⑦ 毎日 ＿＿＿＿ が たくさん あって、いそがしいです。

1. しごと　　　　　　　2. さんぽ
3. りょこう　　　　　　4. かいしゃ

⑧ 電車に のる 人は ＿＿＿＿ が いります。

1. きって　　2. きっぷ　　3. かみ　　4. とけい

⑨ ジムさんは ＿＿＿＿ が 高いです。

1. あたま　　2. からだ　　3. せい　　4. あし

答え：5-1、6-4、7-1、8-2、9-3

N5のことば　練習問題 <もんだい1-1>

⑩ ワイシャツと _____ を きて 会社に 行きます。

　1. ズボン　　2. ぼうし　　3. スカート　　4. せびろ

⑪ その店は どこに ありますか。_____ を かいてください。

　1. つくえ　　2. かみ　　3. ちず　　4. さくぶん

⑫ へやが きたなく なりました。_____ しましょう。

　1. せんたく　　　　2. そうじ

　3. れんしゅう　　　4. かいもの

⑬ あの 高い _____ は デパートです。

　1. たてもの　　2. うち　　3. いえ　　4. えいがかん

⑭ 「どんな _____ が すきですか。」

　「いぬが すきです。」

　1. おさけ　　2. どうぶつ　　3. はな　　4. おかし

⑮ リーさんは _____ が よくて、うたが じょうずです。

　1. あし　　2. こえ　　3. はな　　4. くち

答え：10-4、11-3、12-2、13-1、14-2、15-2

1. N5のことば

16 _____ が おもいから、車で 行きましょう。

1. バス　　2. えき　　3. にもつ　　4. みち

17 きのうは _____ が わるかったから、うちに いました。

1. でんき　　2. てんき　　3. でんしゃ　　4. でんわ

18 あたまが _____ です。

1. かたい　　2. いたい　　3. あつい　　4. たかい

19 _____ は あちらですから、あちらから 入って ください。

1. でぐち　　2. いりぐち　　3. むこう　　4. こっち

20 きのう かった おかしは きのう _____ 食べて、今日も はんぶん 食べました。

1. はんぶん　　2. ぜんぶ　　3. もっと　　4. みんな

答え：16-3、17-2、18-2、19-2、20-1

N5のことば　練習問題 <もんだい１－２>

✎ ＿＿＿＿＿ に　なにを　いれますか。１・２・３・４から　いちばん　いい　ものを　ひとつ　えらんで　ください。

① あの　はしを　＿＿＿＿＿　ください。右(みぎ)がわに　こうえんが　あります。

　　1. あるいて　　2. わたって　　3. 来(き)て　　4. はしって

② ふうとうに　200円(えん)の　きってを　＿＿＿＿＿。

　　1. はりました　　　　　2. つけました
　　3. おきました　　　　　4. とりました

③ 中川(なかがわ)さんは　めがねを　＿＿＿＿＿　います。

　　1. かけて　　2. はめて　　3. はいて　　4. きて

④ うちから　電車(でんしゃ)の　駅(えき)まで　バスで　15分(ふん)　＿＿＿＿＿。

　　1. かかります　　　　　2. あるきます
　　3. 来(き)ます　　　　　4. 出(で)かけます

⑤ ちょっと　さむいです。まどを　＿＿＿＿＿　くださいませんか。

　　1. しまって　　　　　2. しめて
　　3. あけて　　　　　　4. あいて

答え：1-2、2-1、3-1、4-1、5-2

1. Ｎ５のことば

⑥ なつ休みに 毎日 プールで ＿＿＿＿＿＿。

1. およぎました　　　　　　2. 出かけました
3. おきました　　　　　　　4. 行きました

⑦ パスポートを ちょっと ＿＿＿＿＿＿ ください。

1. あいて　　2. みせて　　3. しめて　　4. でて

⑧ 学生は 先生の しつもんに ＿＿＿＿＿＿。

1. こたえました　　　　　　2. 話しました
3. 言いました　　　　　　　4. 聞きました

⑨ 学校の べんきょうが むずかしくて、＿＿＿＿＿＿ います。

1. ならって　　　　　　　　2. わかって
3. こまって　　　　　　　　4. まがって

⑩ ナイフで にくを ＿＿＿＿＿＿。

1. とります　　　　　　　　2. きります
3. なります　　　　　　　　4. かります

答え：6-1、7-2、8-1、9-3、10-2

Ｎ５のことば　練習問題 ＜もんだい１－２＞

⑪　こうえんに　きれいな　花(はな)が　＿＿＿＿＿＿＿　います。

　　1. さいて　　　2. でて　　　　3. あいて　　　4. あって

⑫　雨(あめ)が　ふって　いますから、かさを　＿＿＿＿＿＿＿。

　　1. もちましょう　　　　2. あきましょう

　　3. さしましょう　　　　4. つけましょう

⑬　せんしゅう　ふじ山(さん)に　＿＿＿＿＿＿＿。足(あし)が　いたくなりました。

　　1. あがりました　　　　2. のぼりました

　　3. まがりました　　　　4. あるきました

⑭　父(ちち)は　大(おお)きい　会社(かいしゃ)に　＿＿＿＿＿＿＿　います。

　　1. のぼって　　　　　　2. つとめて

　　3. やって　　　　　　　4. はたらいて

⑮　あさは　はれて　いましたが、今(いま)は　＿＿＿＿＿＿＿　います。

　　1. とまって　　　2. くもって　　　3. おわって　　　4. はいって

答え：11-1、12-3、13-2、14-2、15-2

1. Ｎ５のことば

16 どうぞ　その　いすに　_____　ください。

1. いて　　　　2. のぼって　　　3. おして　　　4. すわって

17 日本が　すきですから、国に　_____　です。

1. 来たくない　　　　　　　2. かえりたくない

3. はいりたくない　　　　　4. 出たくない

18 きのうから　雨が　_____　います。

1. はれて　　　　2. くもって　　　3. ふいて　　　4. ふって

19 8時に　いえを　出ます。9時ごろ　学校に　_____。

1. つくります　　　　　　　2. つきます

3. 出かけます　　　　　　　4. のぼります

20 わたしは　いそがしくて　できませんから、だれか　ほかの　人に　_____　ください。

1. たのんで　　　2. よんで　　　3. いて　　　4. 来て

答え：16-4、17-2、18-4、19-2、20-1

27

N5のことば　練習問題 <もんだい1-3>

✏️ ＿＿＿＿に　なにを　いれますか。1・2・3・4から　いちばん　いい　ものを　ひとつ　えらんで　ください。

---

① わたしの　へやは　＿＿＿＿　です。

1. はやい　　2. せまい　　3. おもい　　4. わかい

② このシャツは　＿＿＿＿　から、せんたくしましょう。

1. うすい　　2. ながい　　3. ふとい　　4. きたない

③ りょうりが　＿＿＿＿　から、あの　店には　行きません。

1. まずい　　2. わるい　　3. ながい　　4. むずかしい

④ この　テレビは　＿＿＿＿　ですね。けしましょうか。

1. つまらない　　2. わかい　　3. おそい　　4. あかるい

⑤ 新宿は　ここから　すぐです。とても　＿＿＿＿　です。

1. とおい　　2. ちかい　　3. せまい　　4. おそい

答え：1-2、2-4、3-1、4-1、5-2

⑥ この スープは ちょっと ＿＿＿＿ です。しおが たくさん 入(はい)って いますね。

1. からい　　2. あまい　　3. やすい　　4. きたない

⑦ いぬも ねこも ＿＿＿＿ から、だいすきです。

1. まずい　　2. おそい　　3. ちかい　　4. かわいい

⑧ この 道(みち)は 車(くるま)が たくさん はしって いるから、＿＿＿＿。

1. いそがしいです　　　　2. あかるいです

3. あぶないです　　　　　4. きたないです

⑨ この ＿＿＿＿ ひもは つよいです。でも、その ほそいのは よわいですよ。

1. ふるい　　2. ふとい　　3. ひくい　　4. ひろい

⑩ ゆうがたに なって、外(そと)が ＿＿＿＿ なりました。

1. くらく　　　　　　　2. つめたく

3. くろく　　　　　　　4. あたらしく

答え：6-1、7-4、8-3、9-2、10-1

N5のことば　練習問題 <もんだい1-3>

11　＿＿＿＿＿ ものは、かばんに 入れて ください。

1. ゆうめいな　　　　2. いたい
3. さむい　　　　　　4. たいせつな

12　12月は いそがしいです。でも、1月は ＿＿＿＿＿。

1. ひまです　　　　　2. きれいです
3. べんりです　　　　4. やさしいです

13　子どもの とき やさいが ＿＿＿＿＿ でしたが、今は すきです。

1. まずい　　　　　　2. きらい
3. ほしい　　　　　　4. おいしい

14　この かみは うすくて よわいですね。もっと ＿＿＿＿＿ のは ありませんか。

1. じょうぶな　　　　2. じょうずな
3. ひろい　　　　　　4. みじかい

15　あの 大きくて ＿＿＿＿＿ たてものは 西北大学です。

1. べんりな　　　　　2. ひろい
3. じょうず　　　　　4. りっぱな

答え：11-4、12-1、13-2、14-1、15-4

1. Ｎ５のことば

(16) ここは _____ ところです。

1. にぎやかな　　　　2. あたたかい

3. むずかしい　　　　4. じょうぶな

(17) わたしは　りょうりが　とても　_____ から、じぶんでは　つくりません。

1. むずかしいです　　　　2. つまらないです

3. まずいです　　　　4. へたです

(18) こんやの　パーティーは　たぶん　_____ でしょう。

1. たのしい　　　　2. おいしい

3. やさしい　　　　4. おそい

答え：16-1、17-4、18-1

N5のことば　練習問題 <もんだい2>

_____の ぶんと だいたい おなじ いみの ぶんが あります。
1・2・3・4から いちばん いい ものを ひとつ えらんで ください。

(1) あの 人は 父の いもうとです。
1. あの 人は わたしの おじです。
2. あの 人は わたしの おばです。
3. あの 人は わたしの きょうだいです。
4. あの 人は わたしの おとうとです。

(2) 父も 母も きょうだいも みんな げんきです。
1. うちの 人たちは みんな 大きいです。
2. かぞくは みんな はたらいて います。
3. かぞくに びょうきの 人は いません。
4. 父も 母も きょうだいも うちに います。

(3) わたしは 学校で おしえて います。
1. わたしは 先生です。
2. わたしは 学生です。
3. わたしは おまわりさんです。
4. わたしは いしゃです。

(4) わたしは 今週 たいへん ひまです。
1. わたしは 今週 ゆっくり はたらきます。
2. わたしは 今週 じかんが あります。
3. わたしは 今週 じかんが ありません。
4. わたしは 今週 しごとが たいへんです。

答え：1-2、2-3、3-1、4-2

1．Ｎ５のことば

⑤ ここから 銀座までは、あまり 時間が かかりません。
1. ここから 銀座まで ちかくないです。
2. ここから 銀座まで とおくないです。
3. 銀座に すぐには つきません。
4. 銀座に おそく つきます。

⑥ 空が はれました。
1. 天気が よく なりました。
2. 空が あかるく なりません。
3. 天気が わるく なりました。
4. 空が くもって います。

⑦ あしたか あさって 来て ください。
1. あしたの あさ 来て ください。
2. あしたは だめです。あさって 来て ください。
3. あしたでも いいです。あさってでも いいです。来て ください。
4. あしたと あさって 来て ください。

⑧ いもうとは 体が よわいです。
1. いもうとは げんきです。
2. いもうとは 体が じょうぶではありません。
3. いもうとは 体が つよいです。
4. いもうとは 体が じょうぶです。

⑨ 外を あるいて いる 人は みんな かさを さして います。
1. 外は さむいです。
2. きょうは くもって います。
3. 外は あたたかいです。
4. 雨が ふって います。

答え：5-2、6-1、7-3、8-2、9-4

N5のことば 練習問題 <もんだい2>

(10) パクさんは キムさんに 本を かしました。
1. キムさんは パクさんに 本を 見せました。
2. パクさんは キムさんに 本を かえしました。
3. キムさんは パクさんに 本を わたしました。
4. キムさんは パクさんに 本を かりました。

(11) エレベーターに のらないで 5かいまで 行きました。
1. みちを あるきました。
2. かいだんを あがりました。
3. くるまに のりませんでした。
4. エレベーターは 5かいまでしか 行きませんでした。

(12) この くすりは あの 店でしか うって いません。
1. この くすりは あの 店には うって いません。
2. この くすりは あの 店でも うって います。
3. ほかの 店には この くすりが ありません。
4. この くすりは どの 店にも ありません。

(13) おかしが よっつ ありました。ケンさんと リカさんが ふたつずつ 食べました。
1. ふたりで ふたつだけ 食べました。
2. ケンさんが ひとつ、リカさんが ひとつ 食べました。
3. ケンさんが ふたつ、リカさんが ふたつ 食べました。
4. ケンさんか リカさんが おかしを ふたつ 食べました。

(14) 母に 電話を かけました。
1. 母は だれかと 電話で 話しました。
2. 母から 電話が かかりました。
3. 母が わたしに 電話を かけました。
4. 母と 電話で 話しました。

答え：10-4、11-2、12-3、13-3、14-4

1. Ｎ５のことば

15 <u>毎あさ　8時はんに　うちを　出ますが、今日は　30分　はやく出ました。</u>

1. けさは　9時に　うちを　出ました。
2. けさは　8時30分に　うちを　出ました。
3. けさは　8時に　うちを　出ました。
4. けさは　7時はんに　うちを　出ました。

16 <u>トムさんは　わたしたちに　えいごを　おしえて　います。</u>

1. トムさんは　えいごを　べんきょうして　います。
2. わたしたちは　えいごを　おしえて　います。
3. わたしたちは　日本語を　べんきょうして　います。
4. わたしたちは　トムさんに　えいごを　ならって　います。

17 <u>まどは　しまって　います。</u>

1. まどは　しまりません。
2. まどは　あいて　いません。
3. まどは　しめて　ありません。
4. まどは　あけて　あります。

18 <u>クラスの　学生は　ぜんぶで　8人　いますが、きのうは　5人しか　いませんでした。</u>

1. きのうは　学生が　5人　来ませんでした。
2. きのうは　学生が　3人　休みました。
3. きのうは　学生が　ぜんぶで　8人　いました。
4. きのうは　学生が　3人だけ　来ました。

答え：15-3、16-4、17-2、18-2

N5の漢字　Kanji

① 数 Number

一 イチ／ひと(つ)	二 ニ／ふた(つ)	三 サン／みっ(つ)	四 シ／よっ(つ)／よ／よん
五 ゴ／いつ(つ)	六 ロク／むっ(つ)	七 シチ／なな(つ)	八 ハチ／やっ(つ)／よう
九 キュウ／ク／ここの(つ)	十 ジュウ／とお	百 ヒャク	千 セン
万 マン			

② お金 Money

金 キン／かね	円 エン

③ 年月日／時間 Time

年 ネン／とし	月 ゲツ／ガツ／つき	日 ニチ／ひ／か	週 シュウ
時 ジ／とき	間 カン／あいだ	分 フン／ブン／わ(ける)／わ(かれる)	半 ハン
今 コン／いま	毎 マイ	午 ゴ	

④ 曜日 Day of the week

月 ゲツ／ガツ／つき	火 カ／ひ	水 スイ／みず	木 モク／き
金 キン／かね	土 ド／つち	日 ニチ／ひ／か	

⑤ 人 Person

人 ジン／ニン／ひと	子 シ／こ	男 ダン／おとこ	女 ジョ／おんな

2. Ｎ５の文字

⑥ **学校（がっこう）** School

| 学 ガク | 校 コウ | 先 セン | 生 セイ ショウ う(まれる) |

⑦ **家族（かぞく）** Family

| 父 フ ちち | 母 ボ はは |

⑧ **位置（いち）** Place

上 うえ	中 チュウ なか	下 した	外 ガイ そと
前 ゼン まえ	後 ゴ うし(ろ)	左 ひだり	右 みぎ
東 ひがし	西 にし	南 みなみ	北 きた

⑨ **天気（てんき）** Weather

| 天 テン | 気 キ | 雨 あめ | 空 そら |

⑩ **色（いろ）** Color

| 白 ハク しろ(い) | 青 セイ あお(い) | 赤 セキ あか(い) |

⑪ **形容（けいよう）** Epithet

大 ダイ おお(きい)	小 ショウ ちい(さい)	高 コウ たか(い)	長 チョウ なが(い)
多 タ おお(い)	少 ショウ すく(ない)	新 シン あたら(しい)	古 コ ふる(い)
安 アン やす(い)			

N5の漢字 Kanji

⑫ 動作 Action

行 コウ・ギョウ／い(く)	来 ライ／く(る)	食 ショク／た(べる)	飲 イン／の(む)
話 ワ／はな(す)	立 た(つ)	見 ケン／み(る)	入 ニュウ／い(れる)・はい(る)
出 シュツ／で(る)・だ(す)	言 い(う)	聞 ブン／き(く)	読 ドク／よ(む)
書 ショ／か(く)	休 キュウ／やす(む)	買 か(う)	

⑬ 身体 Body

口 くち	耳 みみ	手 て	足 あし
目 め			

⑭ その他 Diverse

電 デン	車 シャ／くるま	名 メイ／な	友 ユウ／とも
川 かわ	山 サン／やま	何 なに・なん	本 ホン
国 コク／くに	語 ゴ	道 ドウ／みち	駅 エキ
花 はな	魚 さかな	会 カイ／あ(う)	社 シャ
店 テン／みせ			

N5の文字　練習問題 ＜よみかた 50＞

2. N5の文字

___ の ことばは ひらがなで どう かきますか。1・2・3・4から いちばん いい ものを ひとつ えらんで ください。

① 天気が よかったので こうえんを さんぽしました。

1. でんき　　2. でんぎ　　3. てんき　　4. てんぎ

② 母は わかくて きれいです。

1. ばは　　2. ばば　　3. はば　　4. はは

③ あしたの 午後 えいがを 見に 行きませんか。

1. here　　2. こご　　3. ごご　　4. ごこ

④ 大学で 外国の 本で べんきょうしました。

1. そとくに　　2. そとこく　　3. がいこく　　4. がいごく

⑤ 友だちと 電話で 話しました。

1. てんは　　2. てんわ　　3. でんは　　4. でんわ

⑥ 男の子が こうえんで あそんで います。

1. おどごのこ　　　　2. おどこのこ
3. おとごのご　　　　4. おとこのこ

⑦ わたしの 車は 左ハンドルです。

1. ひたり　　2. ひだり　　3. みき　　4. みぎ

答え：1-3、2-4、3-3、4-3、5-4、6-4、7-2

N5の文字　練習問題　＜よみかた50＞

8 その　セーターは　八千えんでした。
　　1. やつせん　　2. はっせん　　3. はちせん　　4. はちぜん

9 すみません。3分　まって　ください。
　　1. さんぷん　　2. さんぶん　　3. さんふん　　4. ざんぷん

10 あの　かたは　わたしの　先生です。
　　1. せいせん　　2. せんせい　　3. せんせえ　　4. せんせ

11 へやに　テーブルと　小さい　いすが　あります。
　　1. ちさい　　2. しょうさい　　3. ちいさい　　4. こさい

12 私の　たんじょうびは　三月　三日です。
　　1. みか　　2. みっか　　3. さんか　　4. さんにち

13 デパートは　まちの　西に　あります。
　　1. にし　　2. ひがし　　3. みなみ　　4. きた

14 百万えんの　車を　買いました。
　　1. ひゃぐまん　　2. ひやくまん　　3. ひゃくまん　　4. はくまん

15 父は　会社に　つとめています。
　　1. しゃかい　　2. かしゃ　　3. かいじゃ　　4. かいしゃ

答え：8-2、9-1、10-2、11-3、12-2、13-1、14-3、15-4

2．Ｎ５の文字

(16) ミキさんは　足が　ながいです。

1. て　　　　2. あし　　　　3. かみ　　　　4. ゆび

(17) ＣＤで　たのしい　おんがくを　聞きました。

1. つきました　　2. かきました　　3. いきました　　4. ききました

(18) これは　高い　車(くるま)です。

1. はやい　　　2. やすい　　　3. ひくい　　　4. たかい

(19) この　道は　ほそいです。

1. まち　　　　2. みち　　　　3. くち　　　　4. うち

(20) きのうは　雨でした。

1. あめ　　　　2. ゆき　　　　3. くも　　　　4. かぜ

(21) 今(いま)から　おふろに　入ります。

1. いります　　2. ひとります　　3. はいります　　4. ふります

(22) えいがは　七時半に　はじまります。

1. いちじはん　　2. しちじはん　　3. ひちじはん　　4. しじはん

(23) お金は　つくえの　上(うえ)に　ありますよ。

1. おかな　　　2. おきん　　　3. おかね　　　4. おかに

答え：16-2、17-4、18-4、19-2、20-1、21-3、22-2、23-3

N5の文字　練習問題　<よみかた 50>

24 まいつき　五日は　休みです。

1. いつか　　　2. ごにち　　　3. ごひ　　　4. いつひ

25 きょうは　空の　いろが　とても　きれいです。

1. やま　　　　2. うみ　　　　3. そら　　　4. はな

26 この　かばんは　古いです。

1. しろい　　　2. かたい　　　3. わかい　　4. ふるい

27 高校の　ときの　友だちに　会いました。

1. こうこ　　　2. こうこう　　3. ここう　　4. ここ

28 来週は　いそがしく　なります。

1. きしゅう　　2. らいしゅう　3. こんしゅう　4. せんしゅう

29 一人で　りょこうに　行きます。

1. いちじん　　2. いちにん　　3. ひとり　　4. ひどり

30 いっしゅうかんは　七日です。

1. ななか　　　2. ななひ　　　3. なのか　　4. なのが

31 この　まちには　子どもが　多いです。

1. おおい　　　2. おい　　　　3. すくない　　4. あぶない

答え：24-1、25-3、26-4、27-2、28-2、29-3、30-3、31-1

2. Ｎ５の文字

32 　<u>店</u>の 前に 人が ならんで います。

　　　1. いえ　　　　2. えき　　　　3. みせ　　　　4. もん

33 　もっと <u>安い</u>のは ありませんか。

　　　1. たかい　　　2. やすい　　　3. はやい　　　4. つよい

34 　いえの 前に <u>車</u>が とまって います。

　　　1. しゃ　　　　2. くま　　　　3. くるま　　　4. ひがし

35 　<u>新しい</u> くつを 見せて ください。

　　　1. あたしい　　2. あたらしい　3. あたなしい　4. あだらしい

36 　<u>電車</u>で 大学へ 行きます。

　　　1. てんしゃ　　2. でんしや　　3. でんしゃ　　4. てんしや

37 　<u>中国語</u>を べんきょうしたいです。

　　　1. ちゅうごくご　　　2. ちゅうごくこ
　　　3. ちゅうこくこ　　　4. ちゅうこくご

38 　<u>飲みもの</u>は 何が いいですか。

　　　1. よみもの　　2. のみもの　　3. かみもの　　4. とみもの

答え：32-3、33-2、34-3、35-2、36-3、37-1、38-2

N5の文字　練習問題　＜よみかた 50＞

39 わたしの 国は ふゆが ありません。

1. くに　　　2. こく　　　3. ぐに　　　4. ごく

40 りかさんと マオさんが 話して います。

1. だして　　2. さして　　3. はなして　　4. わして

41 あなたの お父さんは なんさいですか。

1. おかあさん　2. おとうさん　3. おばさん　4. おじさん

42 今年の ふゆは あたたかかった。

1. こんとし　　2. こんねん　　3. こどし　　4. ことし

43 学校まで じてんしゃで 行きます。

1. がっこう　　2. がくこう　　3. かっこう　　4. がっこ

44 だいどころの 電気が きえました。

1. でんぎ　　2. てんき　　3. でんき　　4. てんぎ

45 ここで 手を あらって ください。

1. あし　　2. かお　　3. は　　4. て

46 さあ、おじいさんの 話を 聞きましょう。

1. はらし　　2. はなし　　3. はだし　　4. はたし

答え：39-1、40-3、41-2、42-4、43-1、44-3、45-4、46-2

47 あかい ペンを <u>三本</u> 買った。

1. さんぼ　　2. さんぼん　　3. さんぽん　　4. さんほん

48 たなかさんは <u>学生</u>に おしえて います。

1. がっせい　　2. かくせい　　3. かっせい　　4. がくせい

49 なつに <u>十日</u>の 休みが あります。

1. とうか　　2. とおか　　3. じゅうにち　　4. じゅうひ

50 きょうは <u>外</u>に 出ませんでした。

1. そど　　2. そと　　3. そうと　　4. そっと

答え：47-2、48-4、49-2、50-2

N５のかんじと カタカナ　練習問題 <かきかた50>

_____の ことばは どう かきますか。1・2・3・4から いちばん いい ものを ひとつ えらんで ください。

1 <u>しろい</u> ギターを 買(か)いました。

1. 自い　　　2. 白い　　　3. 古い　　　4. 口い

2 きのうは いい <u>てんき</u>でした。

1. 天気　　　2. 大気　　　3. 夫気　　　4. 電気

3 四月(しがつ) <u>ふつか</u>は わたしの たんじょうびです。

1. 二日　　　2. 二目　　　3. 二十目　　　4. 二十日

4 <u>はは</u>は おんがくが すきです。

1. 海　　　2. 毎　　　3. 母　　　4. 父

5 あの 人(ひと)は えいごの <u>せんせい</u>です。

1. 先生　　　2. 生先　　　3. 先性　　　4. 千生

6 きっさてんで 新聞(しんぶん)を <u>よみました</u>。

1. 読みました　　2. 飲みました　　3. 語みました　　4. 話みました

7 なつやすみに 山(やま)に のぼりました。

1. 体み　　　2. 木み　　　3. 休み　　　4. 本み

答え：1-2、2-1、3-1、4-3、5-1、6-1、7-3

2. Ｎ５の文字

8 こうえんへ　さんぽに　いきませんか。

1. 行きませんか　　2. 言きませんか

3. 何きませんか　　4. 生きませんか

9 あの　あかい　でんしゃに　のって　ください。

1. 電気　　2. 電車　　3. 雷車　　4. 電東

10 いもうとは　ＣＤを　きいて　います。

1. 読いて　　2. 見て　　3. 聞いて　　4. 耳いて

11 <ruby>父<rt>ちち</rt></ruby>は　がいこくに　います。

1. 夕国　　2. 外国　　3. 夕囲　　4. 外囲

12 ともだちは　<ruby>山<rt>やま</rt></ruby>が　すきです。

1. 友だち　　2. 冬だち　　3. 方だち　　4. 互だち

13 ひを　けして　ください。

1. 日　　2. 大　　3. 小　　4. 火

14 あなたの　おとうさんは　せいが　<ruby>高<rt>たか</rt></ruby>いですね。

1. お夫さん　　2. お交さん　　3. お父さん　　4. お母さん

15 ドイツごは　わかりません。

1. ドイツ語　　2. ドイツ話　　3. ドイツ後　　4. ドイツ言

答え：8-1、9-2、10-3、11-2、12-1、13-4、14-3、15-1

N5のかんじと カタカナ　練習問題 <かきかた50>

16 こうえんの うしろに えいごの 学校が あります。

1. 後ろ　　　2. 行ろ　　　3. 牛ろ　　　4. 前ろ

17 ふじさんは いちばん たかい 山です。

1. 大い　　　2. 安い　　　3. 高い　　　4. 長い

18 きょうも あめが ふって います。

1. 雨　　　2. 雪　　　3. 風　　　4. 雲

19 にちようびは いつも ひまです。

1. 目よう日　　2. 日よう日　　3. 田よう日　　4. 日よう目

20 この 川は ながいです。

1. 長い　　　2. 安い　　　3. 多い　　　4. 高い

21 この くつは にまんはっせんえんです。

1. 二方八千　　2. 二万八千　　3. 二万入千　　4. 二方人千

22 まいにち いそがしいです。

1. 侮日　　　2. 海日　　　3. 母日　　　4. 毎日

23 パンやの ひだりがわは くつやです。

1. 右　　　2. 左　　　3. 若　　　4. 古

答え：16-1、17-3、18-1、19-2、20-1、21-2、22-4、23-2

2. Ｎ５の文字

24 そらは はれて います。

1. 天　　2. 雨　　3. 空　　4. 山

25 あたらしい シャツを きました。

1. 古しい　　2. 新しい　　3. 多しい　　4. 白しい

26 川(かわ)の みずが きれいに なりました。

1. 水　　2. 木　　3. 氷　　4. 少

27 その レストランは えきの 前(まえ)に あります。

1. 道　　2. 馬　　3. 店　　4. 駅

28 れいぞうこに ビールが はいって います。

1. 人って　　2. 入って　　3. 八って　　4. 水って

29 ワイシャツは なんまい もって いますか。

1. 向毎　　2. 何毎　　3. 何枚　　4. 向枚

30 あなたの うたが ききたいです。

1. 聞きたい　　2. 耳たい　　3. 問きたい　　4. 門きたい

31 きたの 国(くに)では もう ゆきが ふって います。

1. 化　　2. 花　　3. 比　　4. 北

答え：24-3、25-2、26-1、27-4、28-2、29-3、30-1、31-4

N5のかんじと カタカナ　練習問題 <かきかた50>

32 <u>ことし</u>　りゅうがく　したいです。

1. 今年　　　2. 今生　　　3. 五年　　　4. 五生

33 まだ　<u>つき</u>は　出ていません。

1. 日　　　2. 見　　　3. 月　　　4. 目

34 あしたから　<u>みっかかん</u>　休みです。

1. 三日聞　　　2. 三日間　　　3. 三目間　　　4. 三目聞

35 きのうは　<u>じゅうじかん</u>　ねました。

1. 時間　　　2. 時聞　　　3. 寺間　　　4. 寺聞

36 クラスに　<u>おとこ</u>の　学生は　いません。

1. 男　　　2. 里　　　3. 夫　　　4. 女

37 さあ　ゆっくり　お茶を　<u>のみましょう</u>。

1. 食みましょう　　　2. 欠みましょう
3. 読みましょう　　　4. 飲みましょう

38 どの　<u>はな</u>が　すきですか。

1. 北　　　2. 花　　　3. 草　　　4. 化

答え：32-1、33-3、34-2、35-1、36-1、37-4、38-2

2．Ｎ５の文字

39 わたしの うちは 東京の にしに あります。

　　1. 西　　　2. 価　　　3. 酒　　　4. 四

40 はなこは 三さいの おんなの こです。

　　1. 女の 子　　2. 女の 了　　3. 男の 子　　4. 男の 了

41 わたしは ふるい いえに すんでいます。

　　1. 若い　　　2. 白い　　　3. 古い　　　4. 苦い

42 くるまで 行きましょう。

　　1. 車　　　2. 男　　　3. 果　　　4. 東

43 この みちを まっすぐ 行きます。

　　1. 週　　　2. 近　　　3. 通　　　4. 道

44 きれいな 山の しゃしんを みました。

　　1. 目ました　　2. 見ました　　3. 日ました　　4. 貝ました

45 みなみの 空は くもって います。

　　1. 北　　　2. 東　　　3. 南　　　4. 西

46 あの れすとらんに 入りましょう。

　　1. ルストラン　　2. ルストラソ　　3. レストラン　　4. レストラソ

答え：39-1、40-1、41-3、42-1、43-4、44-2、45-3、46-3

N5のかんじと カタカナ　練習問題 <かきかた50>

47 たくしーには　のりません。バスで　行きます。
　　1. タクシー　　2. クタシー　　3. タクツー　　4. クタツー

48 わいしゃつは　あまり　きません。
　　1. ワイツャシ　2. ライシャツ　3. ヲイシャツ　4. ワイシャツ

49 その　ぼーるぺんを　かして　ください。
　　1. ボールペソ　2. ボーリペン　3. ボールペン　4. ボーレペン

50 テレビの　にゅーすを　見ましたか。
　　1. ニュース　　2. ミュース　　3. ニューヌ　　4. ミューヌ

答え：47-1、48-4、49-3、50-1

文法
ぶんぽう

1 助詞
　じょし

2 こ・そ・あ・ど

3 形容詞
　けいようし

4 動詞
　どうし

5 名詞を せつめいする ほうほう
　めいし

6 動詞 - て形
　どうし　　けい

7 ぶんを「て」で つなぐ ほうほう

8 自動詞・他動詞 /〜て いる・〜て ある
　じどうし　たどうし

9 文の文法（文の組み立て）
　ぶん ぶんぽう ぶん く た

1 助詞

① が

A 友だちが うちに来ます。
A friend is coming to my house tomorrow.

● **Point** 動詞の主体（なにかをする人やもの）の後に《が》を使うことが多い。
Ga follows the subject of a sentence with a verb.

1. けさ 雨が ふりました。
   It rained this morning.
2. あそこに いぬが います。
   There is a dog over there.

B 空が くらいです。
The sky is dark.

● **Point** 形容詞がある文では、形容詞の前の名詞に《が》を使うことが多い。
Ga follows the subject of a sentence with an adjective.

1. 公園の花が きれいです。
   Flowers in the park are beautiful.
2. 山下さんは せいが 高いです。
   Yamashita-san is tall.
3. 東京は ちかてつが べんりです。
   The subway in *Tokyo* is convenient.

C 兄は ゴルフが すきです。
My older brother likes golf.

● **Point** 「すき」「きらい」「ほしい」の 前に 《が》を つかう。
Use *Ga* before "*suki*" "*kirai*" "*hoshii*"

1. わたしは やさいが きらいです。
   I don't like vegetables.
2. わたしは 大きい いえが ほしいです。
   I want a big house.

3. 文法

D　中山(なかやま)さんは　中国語(ちゅうごくご)**が**　できます。
　　　　Nakayama-san can speak Chinese.

● **Point**　「できる」「わかる」の　前(まえ)に　《が》を　つかう。
　　　　Use *ga* before *dekiru* and *wakaru*

1．わたしは　りょうり**が**　できません。
　　　　I can't cook.
2．この　かんじの　いみ**が**　わかりますか。
　　　　Do you understand the meaning of this *kanji*?
3．日本人(にほんじん)の　言(い)う　こと**が**　よく　わかりません。
　　　　I don't understand what Japanese people say.

E　　これは　わたし**が**　とった　しゃしんです。
　　　　This is a photograph taken by me.

● **Point**　名詞(めいし)を　せつめいする　ぶんの　中(なか)で：《は》→《が》
　　　　In a noun modifying clause *wa* is replaced by *ga* .

わたし**は**　しゃしんを　とりました。
　　　　I took a photograph.
→　わたし**が**　とった　しゃしんです。
　　　　This is a photograph taken by me.

1．母(はは)**が**　つくる　りょうりは　おいしいです。
　　　　My mother's cooking is delicious.
2．ゆみさん**が**　すんで　いる　アパートは　新(あたら)しくて　きれいです。
　　　　The apartment in which *Yumi-san* lives is new and very nice.

1 助詞

② は

A わたし**は** 学生(がくせい)です。
I am a student.

わたし**は** 大学(だいがく)で べんきょうして います。
I study at the university.

● Point トピック (topic) の ことばの 後(あと)に 《は》を つかう。《は》の 後(あと)で、その わだいを せつめいする。
Wa follows the topic of the sentence, and is followed by an explanation of the topic.

1. あの 人(ひと)**は** 大山(おおやま)さんです。
   That person is **Ooyama-san**.
2. 大山(おおやま)さん**は** 大学(だいがく)の 先生(せんせい)です。
   Ooyama-san is a university teacher.
3. 大山(おおやま)さん**は** えい語(ご)を おしえて います。
   Ooyama-san teaches English.

B べんきょう**は** 学校(がっこう)で します。

● Point ＜ ～を ～(し)ます ＞ ⇒ ＜ ～は ～(し)ます ＞
《を》⇒《は》

1　学校(がっこう)で べんきょう**を** します。
⇒ 2　べんきょう**は** 学校(がっこう)で します。

1では「べんきょう」は、動詞(どうし)「します」の 目的語(もくてきご)だが、2では「べんきょう」は、文(ぶん)の トピックに なって いるので、「は」に 変(か)わって いる。
In (1), as *benkyo* is the object of the verb *shimasu* it is followed by *O*.
In (2), *benkyo* is the subject of the sentence and is thus followed by *Wa*.

1. A「今日(きょう) そうじを します。」
   B「じゃあ、せんたくは？」
   A「せんたく**は** あした します。」
   A: I will clean (my apartment) today.
   B: What about the laundry?
   A: I will do the laundry tomorrow.

3. 文法

2．ひらがな**は**　ぜんぶ　おぼえました。かんじ**は**　これから　べんきょうします。
　　　　　　　I have memorized all the hiragana characters. Now I will study *kanji*.

C　　「にくを　食べますか。」「いいえ、にく**は**　食べません。」
　　　　　Do you eat meat?
　　　　　No, I don't eat meat.

● **Point**　＜　〜が　〜ない　＞＜　〜を　〜ない　＞⇒＜　〜は　〜ない　＞
　　　　　　　　Ga and *o* are replaced by *wa* to mark the negated element of a negative sentence.　---*wa* ---*nai* (negative sentence)
　　　　　《が》／《を》⇒《は》

1．わたしは　車**は**　もって　いません。　　（車を⇒車は）
　　　　　　　I do not have a car.

2．母は　おんがくが　すきです。でも、クラシック**は**　すきではありません。　　（クラシックが⇒クラシックは）
　　　　　　　My mother likes music. However, she doesn't like classical music.

D　　兄は　スキー**は**　上手です**が**、テニス**は**　下手です。
　　　　　My older brother is a good skier but a bad tennis player.

● **Point**　＜　X**は**　〜**が**、Y**は**　〜　＞
　　　　　　　　X *wa* ---*ga*, Y *wa* --- (contrastive sentence)

　　　「バナナが　すきです。」＋「メロンが　きらいです。」
　　　　I like bananas. + I don't like melons.

　⇒　バナナ**は**　すきです**が**、メロン**は**　きらいです。
　　　　I like bananas but don't like melons.

1．英語**は**　わかります**が**、中国語**は**　わかりません。
　　　　I understand English but don't understand Chinese.

2．テニス**は**　できます**が**、ゴルフ**は**　できません。
　　　　I can play tennis but can't play golf.

1　助詞

③　を

A　毎あさ　パンと　たまご**を**　食べます。
　　　I eat bread and eggs every morning.

● **Point**　＜ ～を　読みます／食べます／休みます／
　　　　　　しって　います etc. ＞
　　　　　---*wo*　read/eat/ take a break from/ know etc.

1. キムさんは　日本語の　本**を**　たくさん　読みます。
　　Kim-*san* reads a lot of Japanese books.

2. かぜを　ひいて　会社**を**　休みました。
　　I caught a cold, and took a day off work.

3. あの　人**を**　しって　いますか。
　　Do you know that person?

B　この　道**を**　あるいて　学校へ　行きます。
　　　I walk along this road on the way to school.

● **Point**　＜ ～を　あるきます／わたります／さんぽします／
　　　　　　はしります／とびます ＞
　　　　　---*wo*　walk/cross (e.g. the street)/ go for a walk /run/fly

　［道・ばしょ］＋《を》＋動詞
　[street/place] + *wo* + verb　　*Wo* is used to indicate a place of passage.

1. あの　はし**を**　わたります。びょういんは　左がわに　あります。
　　Cross that bridge. The hospital is on the left hand side.

2. いぬと　いっしょに　こうえん**を**　さんぽしました。
　　I went walking in the park with the dog.

3. とりに　なって　空**を**　とびたいです。
　　I want to be a bird and fly.

3. 文法

C 新宿で 電車を おります。
Get off the train at **Shinjuku**.

● Point ＜［電車／バス／車 etc.］を おります＞

Train/bus/car etc. *wo orimasu* (get off/out of)

「おりる」の 前に、《を》を つかう。

Oriru is usually preceded by *wo*.

1. ちかてつを おりて、バスに のります。
   Get off the subway at **Shinjuku** and get on the bus.
2. バスを おりて、5分くらい あるきます。
   Get off the bus and walk for about five minutes.

D 毎あさ 8時に いえを 出ます。
I leave home every morning at eight o'clock.

● Point ＜［ばしょ］を 出ます＞

[Place] *wo demasu* (leave a place)

「出る」の 前に、《を》を つかう。

Wo is used with *deru* to indicate a place of departure.

1. しごとが おわって、会社を 出ました。
   After finishing work I left the office.
2. トイレは この へやを 出て、左がわに あります。
   Go out of this room and the toilet is on the left hand side.

1 助詞

④ に

A　駅の　前に　デパートが　あります。
There is a department store in front of the station.

● Point ＜［場所］に　います／あります＞

[Place] *ni imasu/arimasu* (*ni* is used to indicate a place of existence.)

［場所］の　後に、《に》を　つかう。
Ni follows the place name.

1. わたしの　かぞくは　香港に　います。
My family is in Hong Kong.
2. 会社は　横浜に　あります。
My company is in *Yokohama*.

B　毎日　6時に　いえに　かえります。
I come home at six o'clock every day.

● Point ＜［時］に　～（し）ます＞

[Time] *ni ---shimasu* (*ni* is also used to indicate a point in time.)

［～時、～日、～月、～年］の　後に、《に》を　つかう。
Ni follows the time, day, month, and year

1. ゆうべ　12時に　ねました。
I went to sleep at twelve o'clock last night.
2. 日ようびに　えいがを　見に　行きます。
I will go to watch a movie on Sunday.
3. 毎週　金ようびに　テストが　あります。
There is a test every Friday.
4. 来月の　3日に　あねが　中国に　行きます。
On the 3rd of next month my older sister is going to China.
5. 今年　4月に　日本へ　来ました。
I came to Japan in April this year.
6. わたしは　1975年に　生まれました。
I was born in 1975.

3. 文法

C いもうとは 母に てがみを 書きました。
My younger sister wrote a letter to my mother.

● **Point** ＜［人］に 聞きます／かけます／おしえます＞
Person *ni* ask / telephone / teach

［あいての 人］の 後に、《に》を つかう。
Ni is used to indicate a person toward whom an action is directed.

1. わからない ことばの いみを 先生に 聞きました。
I asked the teacher (to explain) the meaning of a word I didn't understand.
2. ともだちに 電話を かけました。
I telephoned my friend.
3. 南先生は 外国人に 日本語を おしえて います。
Minami-sensei teaches Japanese to foreigners.

D きのう わたしは 西川さんに あいました。
I met *Nishikawa-san* yesterday.

● **Point**

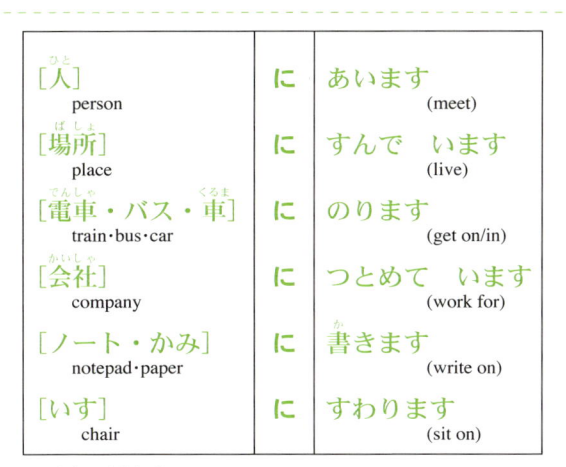

［人］ person	に	あいます (meet)
［場所］ place	に	すんで います (live)
［電車・バス・車］ train・bus・car	に	のります (get on/in)
［会社］ company	に	つとめて います (work for)
［ノート・かみ］ notepad・paper	に	書きます (write on)
［いす］ chair	に	すわります (sit on)

1. わたしは 今 東京に すんで います。
I am living in *Tokyo* now.
2. あには ＵＮＩＣＯＭに つとめて います。
My older brother works for *UNICOM*.
3. ここに 名前を 書いて ください。
Please write your name here.

61

1　助詞

E　　父は　来月　アメリカ**に**　行きます。
　　　　　My father is going to America next month.

● Point　＜［場所］に／へ　行きます／来ます／かえります＞
　　　　　　　　　[Place] *ni/e* go to/come to/return to
　　　　　この　《に／へ》は　〈ほうこう〉を　あらわす。
　　　　　　　　　Ni/e are used to indicate direction of movement.

1. 毎日　会社**に**　行って、はたらいて　います。
　　　　　Every day I go to the office and work.
2. こんばん　友だちが　わたしの　うち**に**　来ます。
　　　　　Tonight my friends are coming to my house.
3. よる　いえ**に**　かえって、シャワーを　あびます。
　　　　　At night I come home and have a shower.

F　　ぼうしを　ぬいで　へや**に**　入りました。
　　　　　I took my hat off and went into the room.

● Point　＜［場所］に　入ります＞
　　　　　　　　　[Place] *ni* enter

1. はやく　きょうしつ**に**　入って　ください。
　　　　　Please enter the classroom quickly.
2. いもうとは　去年　大学**に**　入りました。
　　　　　My sister entered university last year.

G　　母は　1週間**に**　1かい　びょういんへ　行きます。
　　　　　My mother goes to the hospital once a week.

● Point　＜〜に　〜かい／ど＞
　　　　　　[time period] *ni* - [number of times] *kai/do*

この　店は　10日**に**　1ど　休みます。
　　　　　This shop is closed once every 10 days.
1日**に**　3かい　この　くすりを　飲んで　ください。
　　　　　Please take this medicine three times a day.

3. 文法

H デパートへ 買いものに 行きました。
I went to the department store to shop.

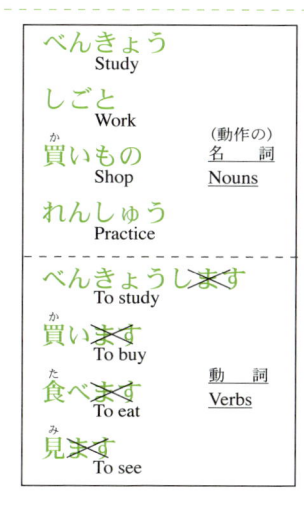

（動作の）名詞 Nouns		
べんきょう Study		
しごと Work		
買いもの Shop		に
れんしゅう Practice		
べんきょうし~~ます~~ To study	動詞 Verbs	
買い~~ます~~ To buy		
食べ~~ます~~ To eat		
見~~ます~~ To see		

に 行きます go
来ます come
かえります return

● **Point** ［もくてき］を あらわす ことばの 後に、《に》を つかう。

Ni can be used to indicate a purpose.

《N／V＊ます形 ＋ に 行きます／来ます／かえります》

N/V＊*masu* form + *ni* go to/come to/return to

＊N＝（動作をあらわす）名詞　　V＝動詞

N= noun (Action sence noun)　　V= verb

1．アメリカへ べんきょうに 行きます。
　　　I will go to America to study.
2．ビルさんは 日本へ えい語を おしえに 来ました。
　　　Bill came to Japan to teach English.
3．12時ですね。ごはんを 食べに 行きましょう。
　　　It's already twelve o'clock. Let's go and have lunch.
4．ノートを わすれたから、いえに とりに かえりました。
　　　I left my notebook at home and had to return to get it.

1 助詞

⑤ で

A きっさてん**で** コーヒーを 飲みました。
　　　　I drank coffee at the coffee shop.

● Point ＜ ［ばしょ］ で ～（し）ます ＞

　　　　[Place] *de* ---(shi)masu (*de* is used to indicate a place something is done.)

　　［ばしょ］ で＋［動作の 動詞］
　　　　[Place] *de* + [action verb]

1. としょかん**で** 本を 2さつ かりました。
　　　　I borrowed two books at the library.
2. 駅の 前**で** 友だちに 会いました。
　　　　I met my friend in front of the train station.
3. 毎日 会社**で** はたらいて います。
　　　　I work at the company every day.
4. 子どもが にわ**で** あそんで います。
　　　　The children are playing in the garden.
5. ブラウンさんは 日本の 大学**で** えい語を おしえて います。
　　　　Mr. Brown teaches English at a Japanese university.

⚠ ×駅の 前**で** デパートが あります。

　　○駅の 前**に** デパートが あります。　(see P.60 A)
　　　　There is a department store in front of the train station.

B 名前を えんぴつ **で** 書いて ください。
　　　　Please write your name in pencil.

● Point ＜ ～で ～（し）ます ＞

　　　　＊〈～で〉＝～を つかって
　　　　De indicates the use of something.

1. ナイフ**で** にくを きります。
　　　　A knife is used to cut meat.
2. かんじ**で** 名前を 書きます。
　　　　Names are (usually) written in *kanji*.

3. 文法

3．友(とも)だちと 電話(でんわ)で 話(はな)しました。
I spoke to my friend on the phone.

C　　たまごと さとうで おかしを つくりました。
I made sweets using egg and sugar.

● Point 〈 〜で 〜を つくります 〉

＊ 〈〜で〉 ＝ ［ざいりょう］を つかって
〈---*de*〉 is used to indicate ingredients/materials.

1．にくと やさいで りょうりを つくりました。
I cooked a meal using meat and vegetables.

2．木(き)で つくえや いすを つくります。
Wood is used to make tables and chairs.

にくと やさいで
using meat and vegetables

りょうりを つくりました
I cooked a meal

1　助詞

D　ちかてつで　銀座まで　行きます。
　　　　　　　I went to *Ginza* by subway.

［のりもの］ Modes of transport

バス bus	
電車 train	
車 car	
ひこうき plane	で
ちかてつ subway	
しんかんせん *shinkansen* (bullet train)	
じてんしゃ bicycle	
タクシー taxi	

来ます come
行きます go
かえります return

● Point 〈〜で〉＝［のりもの］に　のって
De is used to indicate a mode of transport

1. 電車で　ここへ　来ました。
   I came here by train.

2. 車で　来ましたから、はやかったです。
   I came by car, so it didn't take very long.

3. 駅から　バスで　大学へ　行きます。
   I took the bus from the station to university.

4. にもつが　おもいから、タクシーで　かえりましょう。
   This luggage is heavy. Let's take a taxi home.

E　　このノートは　3さつ**で**　500円です。
　　　　　　　　Three of these notebooks cost ￥500.

● Point ＜～で ［かず・りょう］ です＞
--- *de* [number,volume] *desu*

りんごは　1こ　100円ですが、5こ**で**　400円ですから、
5こ　買います。
　　　　　One apple costs ￥100, but it is only ￥400 for five, so I will buy five.

1. 学生は　みんな**で**　130人です。
　　　There is a total of 130 students.

2. にくと　やさいを　買いました。ぜんぶ**で**　1500円でした。
　　　I bought meat and vegetables. It costs ￥1,500.

▼ ＜1つ、1こ、1ぽん、1さつ etc.＞には、《で》を　つけない。
　　　Do not use *de* when referring to only one object.

　その　シャツは　<u>1まい</u>　3000円です。
　　　　　It costs ￥3,000 for one of those shirts.

　　　　1こ　100円です 　　　　5こで　400円です

1 助詞(じょし)

F　かぜで　会社(かいしゃ)を　休(やす)みました。
　　　I didn't go to work because I had a cold.

● **Point**　＜　〜で　〜（し）ます　＞

　　　[げんいん]を　あらわす　名詞(めいし)の　後(あと)に、《で》を　つかう。
　　　De is used to indicate a noun which is given as the cause of something.

1．びょうきで　学校(がっこう)を　休(やす)みました。
　　　I didn't go to school because I was sick.

2．ゆきで　電車(でんしゃ)が　とまりました。
　　　The trains stopped (running) because of snow.

3．つよい　かぜで　ドアが　あきました。
　　　The door was blown open by the strong wind.

4．来週(らいしゅう)　しごとで　神戸(こうべ)に　行(い)きます。
　　　I will go to ***Kobe*** next week for work.

1 助詞(じょし)

6-1 も

いぬは　かわいいです。ねこ**も**　かわいいです。
　　　　　Dogs are cute, so are cats.

どちら**も**　かわいいです。
　　　Both dogs and cats are cute.

● Point　《は》《が》《を》→《も》

1月(いちがつ)は　さむいです。──→　2月(にがつ)**も**　さむいです。
　　　January is cold.　　　　　　　February is also cold.

にくが　すきです。──→　魚(さかな)**も**　すきです。
　　I like meat.　　　　　　I also like fish.

新聞(しんぶん)を　読(よ)みました。──→　ざっし**も**　読(よ)みました
　　I read newspapers.　　　　　　I also read magazines.

1. A「1月(いちがつ)は　さむいですよ。」
　　　　　January is cold.

　　B「2月(にがつ)は　どうですか。」
　　　　　What about February?

　　A「2月(にがつ)**も**　さむいです。1月(いちがつ)**も**　2月(にがつ)**も**　さむいですよ。」
　　　　February is also cold. Both months are cold.

2. にく**も**　魚(さかな)**も**　すきです。どちら**も**　すきです。
　　　I like meat and fish. I like both.

3. わたしは　中国語(ちゅうごくご)**も**　かんこく語(ご)**も**　わかりません。
　　　　　I don't understand Chinese or Korean.

1 助詞

6-2 か・も

「つくえの 下に 何か ありますか。」
Is there something under the desk?

「いいえ、何も ありません。」
No, nothing.

● Point　Q 「何/だれ/どこ か ～（し）ますか。」
What/who/where *ka* + ---(*shi*) *masu ka*?

　　　　A 「（いいえ）何/だれ/どこ（へ）も ～（し）ません。」
(No,)what/who/where *mo* + ---(*shi*) *masen*.

1. A 「きのう どこかへ 行きましたか。」
　　Did you go anywhere yesterday?

　 B 「ええ、デパートへ 買いものに 行きました。」
　　Yes, I went to the department store for shopping.

2. A 「きのう どこかへ 行きましたか。」
　　Did you go anywhere yesterday?

　 B 「いいえ、どこへも 行きませんでした。あたまが いたかった から、うちで ねて いました。」
　　No, I didn't go anywhere. I had a headache so I stayed at home and slept.

3. A 「となりの へやに だれか いますか。」
　　Is anyone in the next room?

　 B 「いいえ、だれも いません。」
　　No, no one is there.

　 A 「じゃ、となりの へやを つかいましょう。」
　　Well then, let's use the next room.

3. 文法

1 助詞

⑦ に・で・へ・と・から ＋ も

毎日　学校で　4時間　べんきょうします。
I study for four hours at school everyday,

うちでも　4時間ぐらい　べんきょうします。
and for roughly four hours at home.

● Point

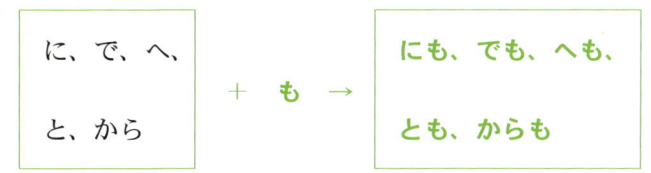

| に、で、へ、と、から | ＋ も → | にも、でも、へも、とも、からも |

「京都に　行きます。」＋「日光に　行きます。」
*I will go to **Kyoto**. + I will go to **Nikko**.*

→京都に　行きます。日光にも　行きます。
*I will go to **Kyoto**. I will also go to **Nikko**.*

→京都にも　日光にも　行きます。
*I will go to both **Kyoto** and **Nikko**.*

1．友だちにも　先生にも　聞きましたが、わかりませんでした。
I asked both my friend and my teacher, however, neither of them knew.

2．あねは　りょこうが　すきです。アメリカへも　ヨーロッパへも　行きました。
My older sister likes to travel. She has been to both Europe and America.

3．ビルさんと　話しました。それから、キムさんとも　話しました。
I spoke to Bill, and I also spoke to Kim.

4．アメリカからも　中国からも　りゅう学生が　来ます。
There are foreign students from both America and China.

1 助詞

⑧ に・で・へ・と・から＋は

毎日　学校で　4時間　べんきょうします。
I study for four hours at school every day.

うち**では**　2時間ぐらい　べんきょうします。
I also study at home for about two hours.

● Point

| に、で、へ、と、から | ＋は → | には、では、へは、とは、からは |

1．A「会社に　コンピューターが　ありますか。」
　　　Do you have a computer at work?

　B「はい、あります。」
　　　Yes, I do.

　A「いえにも　ありますか。」
　　　Do you also have one at home?

　B「いいえ、いえ**には**　ありません。」
　　　No, I don't have one at home.

2．A「ひるごはんは　レストランで　食べますか。」
　　　Do you have lunch at a restaurant?

　B「いいえ、レストラン**では**　食べません。会社の　しょくどうで　食べます。」
　　　No, I don't eat at restaurants. I eat at the company's cafeteria.

3．よく　母と　デパートへ　行きます。でも、父**とは**　あまり　行きません。
　　　I often go with my mother to the department store but rarely go with my father.

3. 文法

1 助詞

⑨ から・まで

A わたしは キムです。韓国から 来ました。
My name is Kim. I am from Korea.

B あの 電車は 大阪まで 3時間で 行きます。
That train takes three hours to get to *Osaka*.

A ● Point ［場所］から
　　　　　　　　[place] from

1. 来週 国から 父が 来ます。
Next week, my father is coming from home(my home country).

2. バスは 駅の 前から 出ます。
The bus leaves from in front of the station.

　● Point ［時］から
　　　　　　　[time] from

3. 今ばん 8時から テレビを 見ます。
I will watch television from eight o'clock tonight.

4. ぎんこうは あさ 9時からです。
The bank opens at nine o'clock in the morning.

B ● Point ［場所］まで
　　　　　　　　[destination] to

1. この ひこうきは ロンドンまで 行きます。
This plane is going to London.

2. 駅まで じてんしゃで 行きます。
I will go by bicycle to the train station.

　● Point ［時］まで
　　　　　　　[time] until

3. 5時半まで 会社で はたらきます。
I work at the company until five thirty.

4. 9月まで 日本に います。10月に 国へ かえります。
I will be in Japan until September. In October I will return to my home country.

C ● Point 〜から 〜まで
　　　　　　　--- *kara* --- *made* (from- to/until-)

1. うちから 学校まで 40分くらい かかります。
It takes about forty minutes to get from home to school.

2. なつ休みは 7月20日から 8月 31 日までです。
My summer vacation is from July 20 until August 31.

1 助詞

⑩ と

A 本と ノートを 買いました。
I bought a book and a notebook.

● Point ［名詞］と ［名詞］
[noun] *to* [noun]

1. けさ パンと やさいを 食べました。
This morning I ate bread and vegetables.
2. れいぞうこと テレビを 買いに 行きます。
I am going out to buy a refrigerator and a television.

* × いぬが います と ねこが います。

  ○ いぬと ねこが います。
  There is a dog and a cat.

B あねは 来月 母と 中国に 行きます。
My older sister is going to China with my mother next month.

● Point ［人］と（いっしょに）～（し）ます
[Person] *to* do something together

1. きのう 山下さんが おくさんと ここへ 来ました。
Yesterday, *Yamashita-san* came here with his wife.
2. 休みの 日は 子どもと いっしょに あそびます。
I play with my children on my days off work.

C わたしは 電話で パクさんと 話しました。
I spoke to Park-*san* on the phone.

● Point ［人］と あいます／話します／けっこんします
[Person] *to* meet / talk to / marry

1. 北山さんと いろいろ 話しました。
I spoke to *Kitayama-san* about many things.
2. いもうとは 会社の 人と けっこんします。
My younger sister is marrying someone from her company.

* × ［人］と いっしょに あいます。

  ○ ［人］と あいます。
  Meet someone.

74

3. 文法

1 助詞

⑪ や・など

● **Point** いろいろ ある 中の 2つ、3つだけを 言う。
（ほかにも ある）
Giving examples from a list.

A 駅の そばに デパート**や** ぎんこうが あります。
There is a department store and a bank (etc...) close to the train station.

● **Point** 〜や 〜 （〜や 〜や）

1. きのうの パーティーで 山下さん**や** ブラウンさんに あいました。
   I met *Yamashita-san*, Brown-*san*, (and several other people) at a party yesterday.
2. にわに あかい 花**や** きいろい 花が さいて います。
   There are red and yellow flowers (among others) blooming in the garden.

B デパートで ワイシャツ**や** くつ**など**を 買いました。
I bought some shirts, shoes, and other things at the department store.

● **Point** 〜や 〜 （〜や 〜や） **など**

1. かばんの 中に ハンカチ**や** めがね**や** かぎ**など**が あります。
   I have a handkerchief, glasses, and keys (among other things) in the bag.
2. 道を バス**や** タクシー**など**が はしって います。
   There are buses, taxis (etc.) driving on the road.

1 助詞

⑫ か

A あしたは 雨か ゆきが ふるでしょう。
It will probably rain or snow tomorrow.

● **Point**　X か Y
　　　　　　X or Y

1. なつ休みに うみか 山へ 行きます。
I will either go to the coast or to the mountains on my summer vacation.

2. 来月 ソウルへ 行きます。父か 母と いっしょに 行きます。
I will go to Seoul next month with either my father or my mother.

3. えんぴつか ボールペンで 書いて ください。
Please write in either pencil or ballpoint pen.

B つかれましたね。どこかで、何か 飲みませんか。
This is exhausting. Let's go and have a drink somewhere.

● **Point**　何か／どこか／だれか
　　　　　　Something/somewhere/someone

1. A「何か 飲みますか。」
　　Will you have something to drink?

　 B「ええ。」
　　Yes.

　 A「何が いいですか。」
　　What would you like?

　 B「そうですね。じゃ、ジュースを おねがいします。」
　　Well. I'll have some juice please.

2. A「なつ休みに どこかへ 行きますか。」
　　Are you going anywhere during the summer holidays?

　 B「はい。」
　　Yes.

　 A「どこへ 行きますか。」
　　Where are you going?

　 B「北海道へ 行きます。」
　　To *Hokkaido*.

3. 文法

C　「高山さんは　おさけを　飲みますか。」
　　　　Does ***Takayama-san*** drink alcohol?

　　　「さあ、飲む**か**　飲まない**か**、わかりません。」
　　　　I don't know if he does or doesn't drink.

● Point　< X**か**　Y**か**　わかりません >
　　　　The speaker is uncertain whether it is X or Y

A　「サリさんは　今日　来ますか、来ませんか。」
　　　Will Sally come today?

B　「さあ、来る**か**　来ない**か**　わかりません。」
　　　I don't know if she is coming or not.

D　「南さんは　いつ　来ますか。」
　　　　When will ***Minami-san*** come?

　　　「いつ　来る**か**　わかりません。」
　　　　I don't know when he will come.

● Point　< 何・だれ・いつ・どこ　～**か**　わかりません >
　　　　The speaker is uncertain of what, who, when, or where

A　「テストは　いつですか。」
　　　When is the test?

B　「さあ、いつ**か**　わかりません。」
　　　I don't know when it is.

A　「しごとは　何時に　おわりますか。」
　　　What time does work end?

B　「何時に　おわる**か**　わかりません。」
　　　I don't know what time it ends.

1 助詞

13-1 ね

「この おかし、おいしいです**ね**。」
This cake is delicious.

「ええ、とても おいしいです**ね**。」
Yes, it's very delicious.

● Point 「……**ね**。」
"---*ne*" When seeking confirmation

A 「今日は さむいです**ね**。」
It's cold today, isn't it?

B 「ええ、さむいです**ね**。」
It sure is.

3. 文法

1 助詞(じょし)

13-2 よ

「この ちかくに ゆうびんきょくが ありますか。」
Is there a post office nearby?

「あります**よ**。あの ぎんこうの となりです。」
There is. Right next to the bank over there.

● Point 「……**よ**。」

"---*yo*" When informing someone about something

ひろし「もしもし、めぐみさん いま どこですか。」
Hiroshi: Hello *Megumi-san*, where are you?

めぐみ「香港(ほんこん)です。」
Megumi: I'm in *Hong Kong*.

ひろし「香港(ほんこん)は あたたかいですか。」
Hiroshi: Is it warm in *Hong Kong*?

めぐみ「あたたかいです**よ**。東京(とうきょう)は?」
Megumi: It's warm. How about *Tokyo*?

ひろし「東京(とうきょう)は とても さむいです**よ**。」
Hiroshi: It's very cold in *Tokyo*.

79

1 助詞

14 わ

男「けさ　テレビで　富士山を　見たよ。」
　　Male: I saw Mount Fuji on television this morning.

女「あ、わたしも　見た**わ**。きれいだった**わ**ね。」
　　Female: I saw it too. It looked beautiful, didn't it.

● Point 「……わ。」

女の人が　友だちや　かぞくと　話す　ときに　つかう。
Women often place *wa* at the end of a sentence when speaking to friends or family.

行きます　→　行く**わ**
　　Ikimasu → Iku wa (will go)

行きました　→　行った**わ**
　　Ikimashita → Itta wa (went)

おいしいです　→　おいしい**わ**
　　Oishii desu → Oishii wa (is delicious)

おいしかったです　→　おいしかった**わ**
　　Oishikatta desu → Oishikatta wa (was delicious)

きれいです　→　きれいだ**わ**
　　Kirei desu → Kirei da wa (is beautiful)

きれいでした　→　きれいだった**わ**
　　Kirei deshita → Kirei datta wa (was beautiful)

日本人です　→　日本人だ**わ**
　　Nihonjin desu → Nihonjin da wa (he/she is Japanese)

日本人でした　→　日本人だった**わ**
　　Nihonjin deshita → Nihonjin datta wa (he/she was Japanese)

日本人ではない　→　日本人じゃない**わ**
　　Nihonjin de wa nai → Nihonjin ja nai wa (he/she is not Japanese)

助詞　練習問題

3. 文　法

✎　＿＿＿に　何を　入れますか。1・2・3・4から　いちばん　いい　ものを
一つ　えらんで　ください。

---

(1) 山川さんは　ぎんこう＿＿＿　つとめて　います。

　　1. を　　　　2. に　　　　3. で　　　　4. が

(2) この　りょうりは　とりにく＿＿＿　つくりました。

　　1. で　　　　2. を　　　　3. が　　　　4. に

(3) おとうとは　友だち＿＿＿　あそんで　います。

　　1. が　　　　2. を　　　　3. と　　　　4. で

(4) 1週間＿＿＿　2かい　テストが　あります。

　　1. に　　　　2. で　　　　3. は　　　　4. から

(5) 駅まで　じてんしゃ＿＿＿　行きました。

　　1. が　　　　2. から　　　3. で　　　　4. へ

(6) つよい　かぜ＿＿＿　ふいて　います。

　　1. は　　　　2. を　　　　3. に　　　　4. が

(7) 日ようびに　こうえん＿＿＿　さんぽします。

　　1. は　　　　2. に　　　　3. を　　　　4. が

答え：1-2、2-1、3-3、4-1、5-3、6-4、7-3

助詞　練習問題

8　「今日は　たぶん　雨が　ふるでしょう。」
　　「それじゃあ、かさ＿＿＿＿＿　いりますね。」

　　1. を　　　　2. で　　　　3. が　　　　4. に

9　へや＿＿＿＿＿　入る　とき、コートを　ぬぎましょう。

　　1. に　　　　2. で　　　　3. を　　　　4. は

10　南さんは　たいしかん＿＿＿＿＿　はたらいて　います。

　　1. を　　　　2. で　　　　3. に　　　　4. が

11　来月の　3日＿＿＿＿＿　4日に　国へ　かえります。

　　1. が　　　　2. と　　　　3. に　　　　4. か

12　デパートへ　買いもの＿＿＿＿＿　行きました。

　　1. へ　　　　2. に　　　　3. が　　　　4. で

13　この　ことばの　いみ＿＿＿＿＿　わかりません。

　　1. が　　　　2. を　　　　3. に　　　　4. で

14　ペン＿＿＿＿＿　てがみを　書きました。

　　1. が　　　　2. に　　　　3. と　　　　4. で

答え：8-3、9-1、10-2、11-4、12-2、13-1、14-4

15 あね ＿＿＿ いっしょに 日本へ 来ました。

1. に　　　2. と　　　3. で　　　4. を

16 毎日 さむいから、かぜ＿＿＿ ひいて いる 人が 多い です。

1. を　　　2. が　　　3. は　　　4. で

17 A「コートを もって いますか。」
B「ええ、もって います。」
A「じゃ、せびろも もって いますか。」
B「いいえ、せびろ＿＿＿ もって いません。」

1. は　　　2. が　　　3. も　　　4. に

答え：15-2、16-1、17-1

2 こ・そ・あ・ど

① これ・それ・あれ・どれ

A あれは わたしの 友だちの いえです。
　　That is my friend's house over there.

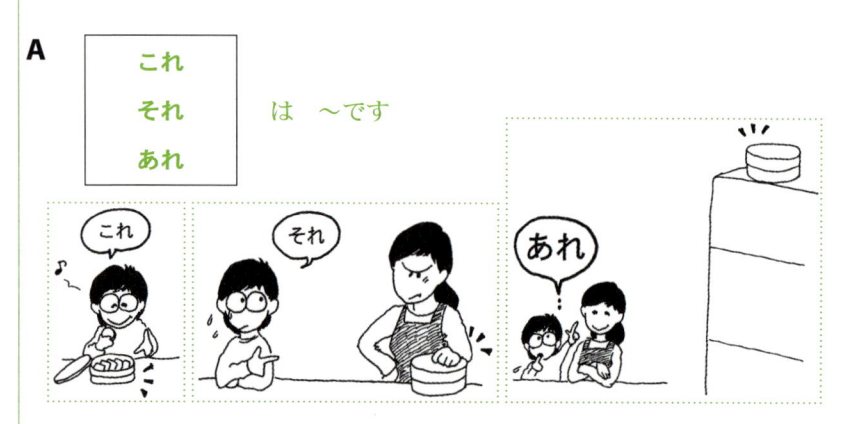

A

これ
それ　　は ～です
あれ

A 「**これ**は わたしの ペンです。**それ**は あなたの ですか。」
　　This is my pen. Is that your pen?

B 「はい、**これ**は わたしの です。」
　　Yes, this one is mine.

B　**どれ**が ～ですか
　　Which ～ is?

A 「ここに ペンが 3本 あります。**どれ**が あなたの
　ペンですか。」
　　There are three pens here. Which pen is yours?

B 「**これ**が わたしの ペンです。」
　　This is my pen.

3. 文　法

C　〜は　どれですか
　　　　　Which

A 「ここに　ペンが　3本(さんぼん)　あります。あなたの　ペンは　<u>どれ</u>ですか。」

　　　　　There are three pens here. Which pen is yours?

B 「わたしの　ペンは　<u>これ</u>です。この　あおいのです。」

　　　　　My pen is this one. The blue one.

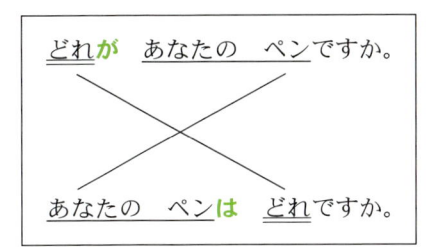

> <u>どれ</u>**が**　あなたの　ペンですか。
>
> あなたの　ペン**は**　<u>どれ</u>ですか。

(上下の文は×で交差)

2 こ・そ・あ・ど
② この・その・あの・どの

A **あの** いえは わたしの 友(とも)だちの いえです。
　　That house over there is my friend's house.

● **Point** 〈この・その・あの・どの〉は 名詞(めいし)の 前(まえ)に 来(く)る。
　　〈*kono, sono, ano, dono*〉 always refer to a noun

A この〜、その〜、あの〜

A 「わたしは **この** カメラが ほしいです。」
　　I want this camera.
B 「そうですか。わたしは **あの** 高(たか)いのが ほしいです。」
　　Is that so? I want the expensive one over there.

B どの 〜が 〜ですか

A 「**どの** かたが 山田(やまだ)さんですか。」
　　Which person is *Yamada-san*?
B 「**この** かたが 山田(やまだ)さんです。」
　　This is *Yamada-san*. (i.e. *Yamada-san* is next to B.)

C 〜は どの 〜ですか

A 「山田(やまだ)さんは **どの** かたですか。」
　　Yamada-san is which person?
B 「山田(やまだ)さんは **この** かたです。」
　　Yamada-san is this person. (i.e. *Yamada-san* is next to B.)

3. 文法

2 こ・そ・あ・ど

③ ここ・そこ・あそこ・どこ
こっち・そっち・あっち・どっち
こちら・そちら・あちら・どちら

B 「すみません。田山先生の おへやは **どちら**ですか。」
Excuse me, which is ***Tayama-sensei***'s room?

A 「田山先生の おへやは １０５です。**あそこ**ですよ。」
Tayama-sensei's room is number 105. See, over there.

A ここ・そこ・あそこ・どこ ［ばしょ］
koko, soko, asoko, doko (place)

B こっち・そっち・あっち・どっち ［ばしょ・がわ・ほうこう］
Kocchi, socchi, acchi, docchi (place, side, direction)

こちら・そちら・あちら・どちら ［ばしょ・がわ・ほうこう］
Kochira, sochira, achira, dochira (place, side, direction)

(1) ＝ここ・そこ・あそこ・どこ ［ばしょ］
koko, soko, asoko, doko (place)

(2) ［〜がわ］［ほうこう］
---*gawa* (on the side of-) *houkou* (direction)

▼ 「こちら・そちら・あちら・どちら」は、ていねいな 言いかた
"Kochira, sochira, achira, dochira" are polite words.

1. 駅の **こっち**がわは にぎやかで、**あっち**がわは しずかだ。
This side of the train station is lively; the other side is quiet.

2. ここより **あちら**の ほうが すずしいですよ。
It is cooler than here there.

こそあど　練習問題

___に　なにを　いれますか。1・2・3・4から　いちばん　いい　ものを　ひとつ　えらんで　ください。

1　_____ は　わたしの　ボールです。

(1) これ　　　　(2) それ　　　　(3) あれ

2　いいえ、_____ は　わたしの　ボールですよ。

(1) これ　　　　(2) それ　　　　(3) あれ

3　_____ は　ゆりさんの　いえですか。

(1) これ　　　　(2) それ　　　　(3) あれ

4　はい、_____ は　ゆりさんの　いえです。

(1) これ　　　　(2) それ　　　　(3) あれ

答え：1-1、2-1、3-3、4-3

3. 文　法

5 ＿＿＿＿＿　は　わたしのです。

(1) これ　　　　(2) それ　　　　(3) あれ

6 はい、＿＿＿＿＿　は　あなたのです。

(1) これ　　　　(2) それ　　　　(3) あれ

7 ＿＿＿＿＿　ボールは　あなたのですか。

(1) それ　　　(2) その　　　(3) あれ　　　(4) あの

8 はい、＿＿＿＿＿　ボールは　わたしのです。

(1) これ　　　(2) この　　　(3) それ　　　(4) その

答え：5-1、6-2、7-2、8-4

3　形容詞

① ウォーミングアップ　Warming up

もんだい1. 下の　形容詞は　日本語能力試験N5の　レベルの　形容詞です。
　　　　　　いみが　はんたいの　ものを　□□□から　えらびなさい。

Listed below are adjectives that will appear on the Japanese Language Proficiency Test Level N5. Select the adjectives with opposite meanings from the box on the next page.

れい：あかるい（　くらい　）
Example: bright

1. あたたかい（　　　）
   warm (weather)
2. 新しい（　　　）
   new
3. おそい（　　　）
   slow
4. おもい（　　　）
   heavy
5. つまらない（　　　）
   boring
6. つよい（　　　）
   strong
7. ひくい（　　　）
   short
8. 暑い（　　　）
   hot (weather)
9. 熱い（　　　）
   hot
10. 厚い（　　　）
    thick
11. あまい（　　　）
    sweet
12. おいしい（　　　）
    delicious
13. 大きい（　　　）
    big
14. せまい（　　　）
    narrow
15. 高い（　　　）
    high
16. ちかい（　　　）
    close
17. 長い（　　　）
    long
18. ほそい（　　　）
    thin
19. むずかしい（　　　）
    difficult
20. わるい（　　　）
    bad
21. 安い（　　　）
    inexpensive
22. すき（　　　）
    like
23. 上手（　　　）
    good at

3. 文　法

さむい cold (weather),	つめたい cold,	うすい thin,	からい hot/salty,	まずい not tasty
小(ちい)さい small,	ふとい fat,	ひろい wide,	高(たか)い tall,	とおい far
みじかい short,	くらい dark,	すずしい cool ,	古(ふる)い old,	はやい fast
かるい light,	おもしろい interesting,	よわい weak,	高(たか)い expensive,	やさしい easy
きらい hate,	下手(へた) poor at,	いい（よい） good,	ひくい low	

答え　もんだい1．

1. あたたかい（すずしい）
2. 新(あたら)しい（古(ふる)い）
3. おそい（はやい）
4. おもい（かるい）
5. つまらない（おもしろい）
6. つよい（よわい）
7. ひくい（高(たか)い）
8. 暑(あつ)い（さむい）
9. 熱(あつ)い（つめたい）
10. 厚(あつ)い（うすい）
11. あまい（からい）
12. おいしい（まずい）
13. 大(おお)きい（小(ちい)さい）
14. せまい（ひろい）
15. 高(たか)い（ひくい）
16. ちかい（とおい）
17. 長(なが)い（みじかい）
18. ほそい（ふとい）
19. むずかしい（やさしい）
20. わるい（いい・よい）
21. 安(やす)い（高(たか)い）
22. すき（きらい）
23. 上手(じょうず)（下手(へた)）

もんだい 2. つぎの 形容詞は 「な形容詞」ですか。「い形容詞」ですか。
Indicate whether the adjectives listed below are *Na* adjectives or *I* adjectives.

あぶない dangerous	だいすき like very much	いたい painful	たいせつ important	きたない messy/dirty
きれい clean/beautiful	たのしい enjoyable	ほしい want	げんき healthy	いそがしい busy
りっぱ fantastic	べんり convenient	ひま not busy	たいへん difficult	しずか quiet
じょうぶ strong	わかい young	にぎやか lively	まるい round	かわいい lovely/pretty

な形容詞 *Na* adjective	い形容詞 *I* adjective

もんだい 3. いろの 形容詞を [　　] から えらびなさい。
Place the correct color in the brackets.

れい：(あおい) 空
　　　Example: (Blue) sky

1. (　　　) リンゴ
　　　　…apple
2. (　　　) バナナ
　　　　…banana
3. 日本人の 目は (　　　) です。
　　　　Japanese people's eyes are…
4. ゆきは (　　　) です。
　　　　Snow is…

白い white	くろい black	きいろい yellow	あかい red	あおい blue

② 3 形容詞
活用表 conjugations

A 現在形 Present Forms

	現在肯定 Present affirmative	現在否定 Present negative
名詞 Noun ていねい形 polite form ふつう形 plain form	花です It is a flower 花だ It is a flower	花では ありません It isn't a flower 花では ない It isn't a flower 花じゃない It isn't a flower
な形容詞 Na adjective ていねい形 polite form ふつう形 plain form	げんきです I am well げんきだ I am well	げんきでは ありません I am not well げんきでは ない I am not well げんきじゃない I am not well
い形容詞 I adjective ていねい形 polite form ふつう形 plain form	暑いです It is hot 暑い It is hot	暑くないです It isn't hot 暑くありません It isn't hot 暑くない It isn't hot

答え もんだい2.
　　な形容詞：だいすき、たいせつ、きれい、げんき、りっぱ、べんり、ひま、
　　　　　　たいへん、しずか、じょうぶ、にぎやか
　　い形容詞：あぶない、いたい、きたない、たのしい、ほしい、いそがしい、
　　　　　　わかい、まるい、かわいい
　　もんだい3.
　　1.あかい　2.きいろい　3.くろい　4.白い

B 過去形
Past Forms

	過去肯定 Past affirmative	過去否定 Past negative
名詞 Noun		
ていねい形 polite form	花でした It was a flower	花では ありませんでした It wasn't a flower
ふつう形 plain form	花だった It was a flower	花では なかった It wasn't a flower 花じゃなかった It wasn't a flower
な形容詞 *Na* adjective		
ていねい形 polite form	げんきでした I was well	げんきでは ありませんでした I was not well
ふつう形 plain form	げんきだった I was well	げんきでは なかった I was not well げんきじゃなかった I was not well
い形容詞 *I* adjective		
ていねい形 polite form	暑かったです It was hot	暑くなかったです It wasn't hot 暑くありませんでした It wasn't hot
ふつう形 plain form	暑かった It was hot	暑くなかった It wasn't hot

3. 文　法

⚠ ちゅうい
Notes

1. 「いい」の　へんか
   Conjugations of "*ii*"

   いい、よくない、**よ**かった、**よ**くなかった
   is good, is not good, was good, was not good

2. い形容詞には「～でした」「～では　ありませんでした」
   「～かったでは　ありませんでした」などの　かたちが　ない。
   The past tense conjugations "---*deshita*", "---*dewa arimasen deshita*", and "---*katta dewa arimasen deshita*" are not used with *I* adjectives.

れい：さむい
　　　Examples: cold

```
○ さむかったです。
       It was cold
× さむいでした。
```

```
○ さむくないです。
       It is not cold
× さむいでは　ありません。
```

```
○ さむくなかったです。
       It was not cold
× さむかったでは　ありませんでした。
× さむいでは　ありませんでした。
× さむくなかったでした。
```

形容詞　練習問題

___に　何を　入れますか。1・2・3・4から　いちばん　いい　ものを　一つ　えらんで　ください。

1

「パクさんは　りゅうがくせい＿＿＿＿か。」

「はい、わたしは　りゅがくせい＿＿＿＿。」

1. です／では　ありません　　　　2. です／です
3. では　ありません／です　　　　4. です／だ

2

「田中さんは　いしゃ＿＿＿＿か。」

「いいえ、いしゃ＿＿＿＿。」

1. では　ありませんか／では　ありません　　2. です／です
3. です／では　ありません　　　　　　　　　4. でした／です

3

「パクさん、りゅうがくせい？」

「うん、りゅうがくせい＿＿＿＿よ。」

1. です　　2. だ　　3. じゃない　　4. だった

4

ゆうびんきょくは　土ようびと　日ようびは　休みです。
あまり　べんり＿＿＿＿。

1. です　　　　　　　　2. では　ありません
3. でした　　　　　　　4. では　ありませんでした

5

きのう　友だちに　会いました。友だちは　げんき＿＿＿＿。

1. だ　　　　　　　　2. です
3. でした　　　　　　4. では　ありません

6

ひろ子さんは　子どもの　とき、いつも　かぜを　ひいて　いました。じょうぶ＿＿＿＿。

1. でした　　　　　　2. では　ありませんでした
3. では　ありません　4. です

答え：1-2、2-3、3-2、4-2、5-3、6-2

3. 文法

7
「あの　としょかんは　しずか？」
「ううん、しずか＿＿＿よ。」
1. だった　　2. じゃない　3. でした　　4. です

8
きのう　としょかんへ　行った。としょかんは　とても
しずか＿＿＿。
1. です　　　2. だった　　3. だ　　　　4. じゃなかった。

9
昔のコンピューターは　大きくて、あまり　べんり＿＿＿が、
今の　コンピューターは　小さくて　べんり＿＿＿。
1. だった／だ　　　　　2. だ／じゃない
3. では　ない／だ　　　4. じゃなかった／だ

10
「うみへ　行きましたか。うみは　どうでしたか。」
「まだ、水が　つめた＿＿＿よ。」
1. かった　　　　　　2. いでした
3. くなかった　　　　4. いい水でした

11
「ひろ子さんの　お母さん、わかいの？」
「ううん、＿＿＿。」
1. わかいです　　　　2. わかかったです
3. わかいじゃない　　4. わかくない

12
「テスト＿＿＿？」
「いいえ、＿＿＿。」
1. いかった／いくなかった　　2. よかった／よかった
3. よかった／よくなかった　　4. よくなかった／よくなかった

答え：7-2、8-2、9-4、10-1、11-4、12-3

■形容詞が 副詞に なる■
Changing an adjective to an adverb

1 い形容詞 ⇒ 副詞

お母さんは 子どもに **やさしく** 話しました。
The mother spoke gently to her children.

「はやい」 + 「く」 → はやく

れい：**はやく** あるく
　　　　　hayaku aruku (walk fast)

「大きい」 + 「く」 → 大きく

れい：**大きく** 書く
　　　　　ookiku kaku (write in big letters)

「いい」 + 「く」 → よく

れい：**よく** はたらく
　　　　　yoku hataraku (works a lot)

1. きのうは いえに **おそく** かえりました。
   I returned home late last night.
2. **よく** べんきょう して ください。
   Please study more.
3. いすを **まるく** ならべましょう。
   Let's arrange the chairs in a circle.

2 な形容詞 ⇒ 副詞
To make a *Na* adjective an adverb, replace *na* with *ni*.

子どもたちは **しずかに** えいがを 見て います。
The children are watching the movie in silence.

「げんきな」 + 「に」 → げんきに

れい：**げんきに** あるく。
　　　　　genkini aruku (walk briskly)

3. 文法

「しずかな」＋「に」→しずかに

れい：**しずかに** 話(はな)す。
shizuka ni hanasu (talk quietly)

1. さあ、**げんきに** うたいましょう。
   Well then, let's sing enthusiastically.
2. 母(はは)は ピザを **上手(じょうず)に** つくります。
   My mother makes pizzas well.
3. 漢字(かんじ)を **きれいに** 書(か)いて ください。
   Please write the *kanji* clearly.

副詞(ふくし) 練習問題

1 わたしは 毎(まい)あさ はや＿＿ おきます。

　　1. く　　2. い　　3. いと　　4. いに

2 もりさんは 上手(じょうず)＿＿ うたを うたいます。

　　1. な　　2. に　　3. で　　4. く

3 その 日は、雨(あめ)が しずか＿＿ ふって いました。

　　1. に　　2. な　　3. で　　4. く

4 わたしは あの 人(ひと)を ＿＿ しって います。

　　1. いく　　2. よく　　3. よい　　4. いい

答え：1-1、2-2、3-1、4-2

4 動詞

① ウォーミングアップ　Warming up

下の　動詞は　「グループ１」「グループ２」「グループ３」の　どれですか。［　］に　ばんごうを　入れなさい。

Please indicate whether the following verbs are Group 1, Group 2, or Group 3 verbs.

れい：あう　[1]
　　　Example: *meet* (1)

あく　[　]　　　　　　あける　[　]　　　　　上げる　[　]
open (intransitive)　　open (transitive)　　　raise

あそぶ　[　]　　　　　あびる　[　]　　　　　あらう　[　]
play　　　　　　　　　shower　　　　　　　　wash

ある　[　]　　　　　　あるく　[　]　　　　　言う　[　]
exist (inanimate object)　walk　　　　　　　　say

行く　[　]　　　　　　要る　[　]　　　　　　居る　[　]
go　　　　　　　　　　need　　　　　　　　　exist (animate object)

入れる　[　]　　　　　生まれる　[　]　　　　うたう　[　]
put into　　　　　　　be born　　　　　　　　sing

うる　[　]　　　　　　おきる　[　]　　　　　おく　[　]
sell　　　　　　　　　wake　　　　　　　　　place on

おしえる　[　]　　　　おす　[　]　　　　　　おぼえる　[　]
teach　　　　　　　　push　　　　　　　　　remember

およぐ　[　]　　　　　おりる　[　]　　　　　おわる　[　]
swim　　　　　　　　step down/out of　　　　finish

買う　[　]　　　　　　かえす　[　]　　　　　かえる　[　]
buy　　　　　　　　　return (an object)　　　return (to a place)

(時間が)かかる　[　]　書く　[　]　　　　　　(電話を)かける　[　]
take (intransitive)　　　write　　　　　　　　telephone (transitive)

かす　[　]　　　　　　かぶる　[　]　　　　　かりる　[　]
lend　　　　　　　　　put (one's hat) on　　　borrow

3. 文法

きえる [ ] go out	聞く [ ] listen	着る [ ] wear
切る [ ] cut	くもる [ ] become cloudy	来る [ ] come
けす [ ] turn off	こたえる [ ] reply	こまる [ ] be troubled
さく [ ] bloom	(かさを)さす [ ] open(umbrella)	しぬ [ ] die
閉まる [ ] close (intransitive)	閉める [ ] close (transitive)	(ベルトを)しめる [ ] fasten
しる [ ] know	(たばこを)すう [ ] smoke	すむ [ ] live
する [ ] do	すわる [ ] sit	そうじする [ ] clean
出す [ ] take out	たつ [ ] stand	たのむ [ ] request
食べる [ ] eat	ちがう [ ] be different	つかう [ ] use
つかれる [ ] be tired	つく [ ] arrive	つくる [ ] make
(電気を)つける [ ] switch	つとめる [ ] work	出かける [ ] go out
出る [ ] go out	とぶ [ ] fly	とまる [ ] stop
とる [ ] take	(しゃしんを)とる [ ] take (a photograph)	
(とりが)なく [ ] make a sound	ならう [ ] learn	ならぶ [ ] line up (intransitive)

ならべる [ ] line up (transitive)	(〜に)なる [ ] become	ぬぐ [ ] take off/shed
ねる [ ] sleep	のぼる [ ] climb	飲む [ ] drink
のる [ ] board	入る [ ] enter (intransitive)	(ズボンを)はく [ ] put on(clothes from the waist down)
はじまる [ ] start	はしる [ ] run	はたらく [ ] work
話す [ ] talk	はる [ ] stick onto	はれる [ ] clear
(ギターを)ひく [ ] play (an instrument)	(ドアを)ひく [ ] pull	ふく [ ] blow
ふる [ ] fall from above	まがる [ ] turn	まつ [ ] wait
みがく [ ] polish	見せる [ ] show	見る [ ] look
もつ [ ] have	休む [ ] rest	(しごとを)やる [ ] do (work)
よぶ [ ] call	読む [ ] read	りょこうする [ ] travel
れんしゅうする [ ] practice	わかる [ ] understand	わすれる [ ] forget
わたす [ ] hand over	わたる [ ] cross (a road, bridge, etc.)	

3. 文 法

答え

あく [1]	あける [2]	上げる [2]	あそぶ [1]	あびる [2]
あらう [1]	ある [1]	あるく [1]	言う [1]	行く [1]
要る [1]	居る [2]	入れる [2]	生まれる [2]	うたう [1]
うる [1]	おきる [2]	おく [1]	おしえる [2]	おす [1]
おぼえる [2]	およぐ [1]	おりる [2]	おわる [1]	買う [1]
かえす [1]	かえる [1]	かかる [1]	書く [1]	かける [2]
かす [1]	かぶる [1]	かりる [1]	きえる [2]	聞く [1]
着る [2]	切る [1]	くもる [1]	来る [3]	けす [1]
こたえる [2]	こまる [1]	さく [1]	さす [1]	しぬ [1]
閉まる [1]	閉める [2]	しめる [2]	しる [1]	すう [1]
すむ [1]	する [3]	すわる [1]	そうじする [3]	だす [1]
たつ [1]	たのむ [1]	食べる [2]	ちがう [1]	つかう [1]
つかれる [2]	つく [1]	つくる [1]	つける [2]	つとめる [2]
出かける [2]	出る [2]	とぶ [1]	とまる [1]	とる [1]
とる [1]	なく [1]	ならう [1]	ならぶ [1]	ならべる [2]
なる [1]	ぬぐ [1]	ねる [2]	のぼる [1]	飲む [1]
のる [1]	入る [1]	はく [1]	はじまる [1]	はしる [1]
はたらく [1]	話す [1]	はる [1]	はれる [2]	ひく [1]
ひく [1]	ふく [1]	ふる [1]	まがる [1]	まつ [1]
みがく [1]	見せる [2]	見る [2]	もつ [1]	休む [1]
やる [1]	よぶ [1]	読む [1]	りょこうする [3]	
れんしゅうする [3]		わかる [1]	わすれる [2]	わたす [1]
わたる [1]				

4 動詞
② 動詞の かたち

●動詞の 3つの しゅるい
Three types of verbs

グループ1 Group 1	普通形「－u」で おわる 動詞 Verbs ending in "u" 読む、書く　　yomu, kaku
グループ2 Group 2	普通形「－iru」「－eru」で おわる 動詞 Verbs ending in "iru" or "eru" 食べる、おきる 　　　　　　　taberu, okiru ＊「はしる・きる・いる・かえる」は グループ1 * hashiru (run), kiru (cut), iru (need), kaeru (return) are Group 1 verbs
グループ3 Group 3	来る、する　　kuru, suru

●動詞の ていねい形（ます形）の 4つの かたち
Four types of polite form verb endings

現　在　　　　今日　読み**ます**
　Present affirmative　　I will read today.

現在否定　　　今日　読み**ません**
　Present negative　　I will not read today.

過　去　　　　きのう　読み**ました**
　Past affirmative　　I read yesterday.

過去否定　　　きのう　読み**ませんでした**
　Past negative　　I did not read yesterday.

1. あした、えいがを　見に　行き**ます**。
　　Tomorrow, I will go to watch a movie.
2. 今日は　母に　電話を　し**ません**。
　　I will not telephone my mother today.
3. A「だれか　来**ました**か。」
　 B「いいえ、だれも　来**ませんでした**。」
　　A: Did anyone come?
　　B: No, no one came.
4. きのうは　びょうきでしたから、何も　食べ**ませんでした**。
　　I was sick yesterday, so I didn't eat anything.

3. 文法

●グループ1の 動詞の 活用
Plain form verb conjugations (group 1 verbs)

● **Point** 「ない形」は 「あ段」に 「ーない」を つける。
　　　　　「辞書形」は 「う段」。

The negative form is the conjugation on line *a*.
The dictionary form is the conjugation on line *u*.

ら や ま は な た さ **か**	あ（わ）	ない形　　　書**か**ない negative form
り　み ひ に ち し **き**	い	ます形　　　書**き**ます *masu* form
る ゆ む ふ ぬ つ す **く**	う	辞書形　　　書**く** dictionary form
れ　め へ ね て せ **け**	え	ば形　　　　書**け**ば conditional form
ろ よ も ほ の と そ **こ**	お	意志形　　　書**こう**（＋う） volitional form

●動詞の 普通形 4つの かたち
Four types of plain-form verb endings

現　在　　今日　読**む**
　Present affirmative　　I will read today.

現在否定　今日　読ま**ない**
　Present negative　　I will not read today.

過　去　　きのう　読ん**だ**
　Past affirmative　　I read yesterday.

過去否定　きのう　読ま**なかった**
　Past negative　　I did not read yesterday.

1. A「きのう　スキーに　行っ**た**？」
   B「ううん、行か**なかった**。来週　行**く**よ。きみも　行**く**？」
   A「うん。行**く**よ。」
   B「新しい　スキーウエア、買っ**た**？」
   A「買わ**なかった**よ。金が　ないから。」

   A: Did you go skiing yesterday?
   B: No, I didn't. I will go next week. Will you go?
   A: Yes, I will.
   B: Did you buy a ski wear?
   A: No, I didn't. I don't have any money.

2. A「山田くん、この　しごと　でき**る**？」
   B「はい、すぐ　します。」

   A: *Yamada-kun*, can you do this work?
   B: Yes, I will do it immediately.

5 名詞を せつめいする ほうほう

① 名詞＋の＋名詞   noun + *no* + noun

1. お父さんの 友だち　　My father's friend
2. 子どもの 本　　A children's book
3. えい語の てがみ　　An English letter
4. アメリカの お金　　American money
5. ＳＯＭＹの ラジオ　　A *SOMY* radio

② い形容詞＋名詞   *I* adjective + noun

1. つまらない えいが　　A boring movie
2. まずい しょくじ　　An unpleasant tasting meal
3. すずしい へや　　A cool room

③ な形容詞＋名詞   *Na* adjective + noun

1. きれいな 花　　A beautiful flower
2. しずかな アパート　　A quiet apartment
3. べんりな かばん　　A convenient bag

④ 動詞普通形＋名詞   verb + noun

1. 渋谷へ 行く バス　　A bus going to *Shibuya*
2. きのう 渋谷で 買った ふく　　Clothes I bought at *Shibuya* yesterday
3. 道で ギターを ひいて いる 人　　The person playing the guitar in the street
4. めがねを かけた 人　　The person wearing glasses
5. 山中さんが すんで いる マンション　　The mansion that *Yamanaka-san* lives in

⑤ 名詞＋と いう＋名詞   noun + *to iu* + noun

1. アンドラと いう 国　　A country called Andorre
2. 田中まりと いう 学生　　A student called *Mari Tanaka*

コラム

■名詞、形容詞＋の■
Noun, adjective + *no*

後ろの 名詞を 言わないで 「の」を つかう。

No can be used to express a noun when the speaker and the listener are familiar with the noun. When used in this context, *no* has the same function as a noun.

れい： これは わたしの ギターです。
Example: This is my guitar.

＝これは わたしのです。
= This is mine.

1. その えい語の ざっしは 山田さんのです。
   That English magazine belongs to *Yamada-san*.

2. A 「セーターを ください。」
     Could I please have a sweater?

   B 「どんなのが いいですか。」
     What type would you like?

   A 「そうですね。いろが きれいなのを ください。」
     One with pretty colors.

   B 「これは、いかがですか。」
     How about this one?

   A 「大きいです。もっと 小さいのを ください。」
     This is too big. Could I have a smaller one please?

3. A 「あした テストを します。」
     Tomorrow we will have a test.

   B 「先生、むずかしくないのを おねがいします。」
     Teacher, please make it an easy one.

   A 「そうですね。やさしいのに しましょう。」
     Ok, let's make it easy.

5 名詞を せつめいする ほうほう

① 名詞＋の＋名詞 noun + *no* + noun

<u>日本語の</u> べんきょうは おもしろいです。
Japanese study is interesting.

● **Point** 名詞と 名詞を つなぐ

No can be used between a noun and a noun as a conjunction.

A 「だれの〜」　Whose

1. これは <u>山中さんの</u> シャツです。
   These are *Yamanaka-san*'s shirts.
2. この 大きいのは <u>田中さんの</u> にもつです。
   This big one is *Tanaka-san*'s bag.

B 「いつの〜」　When

1. 飲んじゃだめ。<u>先週の</u> ぎゅうにゅうですよ。
   Don't drink it. That is last week's milk.
2. <u>20年前の</u> えいがですが、たのしい えいがです。
   Although this movie is 20 years old it's very entertaining.

C 「どこの〜」　Where

1. これは <u>SOMYの</u> テレビですから、いろが きれいですよ。
   This is a SOMY television, so the color is sharp.
2. <u>スコットランドの</u> ウイスキーは おいしいですか。
   Does Scottish whisky taste good?

D 「何の〜」　What

1. <u>いちごの</u> いろが すきです。
   I like color of strawberries.
2. <u>ぶたにくの</u> りょうりは 食べません。
   I don't eat pork dishes.

3. 文法

② 5 名詞を せつめいする ほうほう

い形容詞＋名詞 *I* adjective + noun

東京は おもしろ<u>い</u> まちです。
Tokyo is an interesting place.

● **Point** 名詞の 前の 形容詞の 形
The adjective forms before a noun.

「やさしい」＋「本」
easy + book
→ やさし<u>い</u> 本
An easy book

「大きい」＋「いぬ」
big + dog
→ 大き<u>い</u> いぬ
A big dog

「おもしろくないです／おもしろくありません。」＋「えいが」
not interesting + movie
→ おもしろ**くない** えいが
An uninteresting movie

「おいしくないです／おいしくありません。」＋「りょうり」
not delicious + dish
→ おいし**くない** りょうり
A bad-tasting dish

1. これは おもしろ<u>い</u> 本です。
This is an interesting book.

2. つめた<u>い</u> かぜが ふいて います。
A cold wind is blowing.

3. あつ<u>い</u> おふろに 入りましょう。
Let's get into a hot bath.

5 名詞を せつめいする ほうほう

③ な形容詞 ＋ 名詞 *Na* adjective + noun

あそこに いる きれい**な** 人は 先生ですよ。
That good looking woman over there is a teacher.

● **Point** な形容詞は 名詞の 前では「な」

A *Na* adjective immediately precedes the noun it describes and is conjugated with *na*.

「しずかです。」 ＋ 「ホテルです。」
quiet + hotel

→ 「しずか**な** ホテルです。」
A quiet hotel

「すきではありません。」 ＋ 「りょうり」
I don't like + food

→ 「すき**ではない** りょうり」
food I don't like

1. 山田さんは きれい**な** 人です。
   Yamanda-san is an attractive woman.

2. あの 方は とても ゆうめい**な** 先生です。
   That person is a very famous professor.

3. かるくて べんり**な** そうじきが ほしい。
   I want a light, easy to use vacuum cleaner.

4. すき**ではない** りょうりは 食べません。
   I don't eat food I don't like.

3. 文法

④ 5 名詞を せつめいする ほうほう
動詞普通形＋名詞　Plain form verb + noun

わたしは お金が ある 人と けっこんしたいです。
I want to marry someone who has money.

● **Point**　名詞を せつめいする 動詞の 形は 普通形
A verb or verb-ending clause precedes the noun that it describes.

「きのう 学校に 来ませんでした。」
He/she didn't come to school yesterday.

＋「その 人は だれですか。」
＋ Who is that person?

→ きのう 学校に 来なかった 人は だれですか。
Who is the person that didn't come to school yesterday?

1. きょ年 買った コートは もう 古く なった。
The coat I bought last year is already worn out.
2. あそこに 立って いる 人は 男ですか、女ですか。
Is that person standing over there a man or a woman?

▼ 名詞を せつめいする ぶんの 中では 「が」と 「の」
の どちらを つかっても いみは かわらない。
In a noun modifying clause *ga* and *no* may be used interchangeably.

めぐみさんが 生まれた 年は いつですか。
In which year was ***Megumi-san*** born?

＝めぐみさんの 生まれた 年は いつですか。

5 名詞を せつめいする ほうほう

5 名詞＋と いう＋名詞　noun + *to iu* + noun

呉<u>と いう</u> 人を しって いますか。
Do you know a person named Go?

● **Point**　一般的に、話す 人、または 聞く 人が 知らない ことに 使う。
Generally used for something that is not understood by the speaker or the listener.

※ 「日本」を しって いる
When the speaker is familiar with Japan.
　── 日本は アジアに あります。
　　── Japan is in Asia.

※ 「日本」を しらない
　── ①日本<u>と いう</u> 国は どこに ありますか。
When the speaker is not familiar with Japan.
　　── Where is the country called Japan?
　── ②日本<u>と いう</u> 国は アジアに あります。
When the listener is not familiar with Japan.
　　── (The country) Japan is in Asia.

1. 「ABC ぎんこう」<u>と いう</u> ぎんこうを しって いますか。
Do you know the bank named the ABC bank?

2. 「シネタワー」<u>と いう</u> えいがかんは 渋谷に あります。
The movie theater called Cine Tower is in ***Shibuya***.

3. これは 「うに<u>と いう</u> 食べもの ですよ。
This food is called ***uni***.

4. A 「ジョン ハミルトン<u>と いう</u> 人を しって いますか。」
Do you know a person called John Hamilton?

　B 「いいえ、しりませんが……。」
No, I don't.

5. A 「デミアン<u>と いう</u> かたから お電話ですが……。」
There is a telephone call from a person by the name of Damian.

　B 「あ、デミアンさん。しって いますよ。」
Oh, Damian. Yes I know him.

名詞を説明する方法　練習問題

3. 文　法

✏ ＿＿＿に 何を 入れますか。1・2・3・4から いちばん いい ものを 一つ えらんで ください。

---

① ＿＿＿に ペンが あります。

1. 上の つくえ　　　　2. つくえの 上

3. つくえが 上　　　　4. つくえに 上

② ＿＿＿人と けっこんしたいと おもって います。

1. おもしろいの　　　　2. おもしろい

3. おもしろいな　　　　4. おもしろいですの

③ あれは ＿＿＿ 山ですね。

1. きれいの　　2. きれいな　　3. きれいで　　4. きれい

④ 中国語の 本を ＿＿＿ みせを しりませんか。

1. うります　　　　2. うっています

3. うっている　　　　4. うるの

⑤ きのう ＿＿＿ えいがは おもしろかったですよ。

1. 見て　　2. 見た　　3. 見った　　4. 見たの

答え：1-2、2-2、3-2、4-3、5-2

6 イギリス＿＿＿ 古＿＿＿ 自動車が 大すきです。

1. く／の 2. いの／の 3. くて／の 4. の／い

7 カタカナ＿＿＿ 「リ」を 書いて ください。

1. を 2. の 3. に 4. は

8 わたしの いえ＿＿＿ 前＿＿＿ アパートは 大きいです。

1. の／の 2. に／の 3. が／の 4. の／に

9 ＿＿＿ えい語の ざっしを 買いました。

1. むずかしいな 2. むずかしいの
3. むずかしい 4. むずかしくて

10 あの 目が ＿＿＿ かたは どなたですか。

1. きれい 2. きれいな 3. きれいの 4. きれいだ

答え：6-4、7-2、8-1、9-3、10-2

3. 文法

6 動詞 - て形

① て形の かたち *Te*-form verb

「まつ」の て形は 「まっ**て**」 です。
The *te*-form of *matsu* is *matte*.

● Point 「て形」の つくりかた
Te-form Verb conjugations

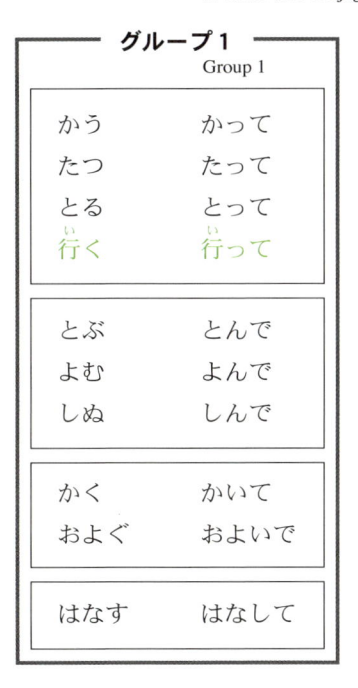

グループ1 / Group 1

かう	かって
たつ	たって
とる	とって
行く	行って

とぶ	とんで
よむ	よんで
しぬ	しんで

かく	かいて
およぐ	およいで

はなす	はなして

グループ2 / Group 2

見る	見て
おしえる	おしえて

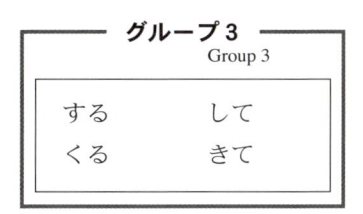

グループ3 / Group 3

する	して
くる	きて

「て形」 → 「た形」

Past tense verbs have the same conjugations, except *te* is replaced by *ta*.

れい：まっ**て**→まっ**た**
Example: *matte* → *matta*

・きのう 秋葉原で ＣＤを 買っ**た**。
Yesterday, I bought a CD at *Akihabara*.

・きょ年 ハワイで およい**だ**。
Last year, I swam in Hawaii.

6 動詞-て形

② て形の つかいかた Verb + *te*, ---

B 駅から ここまで あるいて 来ました。
　　I walked from the train station to here.

● Point ＜動詞[て形]、～＞
「動詞[て形]」の つかいかた。
Verb + ***te***, ---
Common usages of *te*-form verbs

A　じゅんばん＝「それから」
　　Indicating order = (*sore kara*)

1. あさ おきて、新聞を 読みます。
　　In the morning I wake up and read the newspaper.
2. ふくを きて、出かけます。
　　I put on clothes before going out.
3. ゆうびんきょくへ 行って、てがみを 出します。
　　I go to the post office and post letters.

B　ほうほう＝「どうやって」
　　Indicating the method of doing something = (*dou yatte*)

1. はしって いえへ かえりました。
　　I ran home.
2. ひこうきに のって とおい 国へ 行きましょう。
　　Let's get on a plane and fly to a far-away country.
3. CDを 聞いて 日本語を べんきょうします。
　　I study Japanese by listening to CDs.

C　りゆう＝「～から」
　　Indicating a reason = (---*kara*)

1. きのうは かぜを ひいて、学校を 休みました。
　　I took the day off school yesterday because I had a cold.
2. 子どもが 生まれて、にぎやかに なりました。
　　The (house) has become lively since the baby was born.
3. 友だちの 電話ばんごうを わすれて、こまりました。
　　I was concerned because I lost my friend's telephone number.

3. 文法

6 動詞 - て形

③ て ください　verb + te + kudasai

すみません。ちょっと あついですから、まどを
あけて ください。
> Excuse me, it is a little hot. Please open the window.

● **Point**　＜動詞［て形］＋ください＞
おねがいを する ときの 言いかた。

> ---*te kudasai* is used when requesting something.
> Although ---*te kudasai* is polite form, it has a slight command nuance.

1. ここで くつを ぬいで いえの 中に 入って ください。
   > Please take off your shoes here, and enter the house.

2. すみません。その しおを とって ください。
   > Excuse me, please take the salt.

3. ここに 名前と 電話ばんごうを 書いて ください。
   > Please write your name and telephone number here.

⚠ 否定形「動詞［ない形］＋で＋ください」　「ない形」105ページ
Negative form: verb *nai* + *de* + *kudasai*　see p.105

ここで たばこを すわないで ください。
> Please don't smoke (the cigarette) here.

⚠ ＜動詞［て形］＋くださいませんか＞は、ていねいな 言いかた。
"verb + *te* + *kudasaimansen ka*" is a more polite form of request.

1. 先生、日本語を おしえて くださいませんか。
   > Teacher, could you please teach me Japanese?

2. ここに お名前を 書いて くださいませんか。
   > Could you please write your name here?

3. ちょっと 車を 止めて くださいませんか。
   > Could you please stop the car?

動詞 －て形　練習問題

____に　何を　入れますか。1・2・3・4から　いちばん　いい　ものを　一つ　えらんで　ください。

1　この　本は　おもしろいですか。ちょっと　____　ください。

1. かすて　　2. かして　　3. かりて　　4. かって

2　こうえんへ　____、本を　読みましょう。

1. 行きて　　2. 行くて　　3. 行って　　4. 行く

3　ふうとうに　きってを　____、ポストに　入れました。

1. はて　　2. はって　　3. はりて　　4. はる

4　あの　はしを　____、右に　まがって　ください。ポストが　ありますよ。

1. わたって　2. わたるて　3. わたりて　4. わたんで

5　「ゆきさん、うたを　____。」

「はい。じゃ、うたいます。」

1. うたいて　くださいませんか
2. うたって　くださいませんか
3. うたった　くださいませんか
4. うたい　くださいませんか

答え：1-2、2-3、3-2、4-1、5-2

3. 文法

7 ぶんを「て・で」で つなぐ ほうほう

① 名詞で、~ [noun] de ~

まきこさんは 学生で、わたしの 友だちです。
Makiko is a student and she is my friend.

● **Point** < ___A___ は [名詞]で、___B___ は ~です。>
　　　　　　A *wa* (noun) *de*, B *wa* ---*desu*.

　　　　　< ___A___ は [名詞]で、~です。>
　　　　　　A *wa* (noun) *de*, ---*desu*.

名詞を つなぐ ときは、「で」を つかう。
De can be used after a noun as a conjunction.

「これは えんぴつです。」+「あれは ペンです。」
This is a pencil. + That is a pen.

→これは えんぴつで、あれは ペンです。
This is a pencil, and that is a pen.

「キムさんは 韓国人です。」+「キムさんは 大学生です。」
Kim-*san* is Korean + Kim-*san* is a student.

→キムさんは 韓国人で 大学生です。
Kim-*san* is a Korean student.

1. スキーは ふゆの スポーツで、サーフィンは なつの スポーツ
　です。
　Skiing is a winter sport, surfing a summer sport.

2. この 白いのは なつの うわぎで、あの くろいのは ふゆの
　コートです。
　The white one is a summer coat, the black one a winter coat.

3. これは 古い うたで、子どもの うたです。
　This is an old song and a children's song.

7 ぶんを「て・で」で つなぐ ほうほう
② な形容詞 で、〜 [*Na*-adjective] *de* 〜

あの 子は げんき**で**、かわいいです。
That child is healthy and cute.

● **Point** <　A　は ［な形容詞］**で**、〜 です。>
A *wa* (*Na* adjective) *de*, ---*desu*.

<　A　は ［な形容詞］**で**、　B　は 〜です。>
A *wa* (*Na* adjective) *de*, B *wa* --- *desu*.

な形容詞を つなぐ ときは、「ーな」を 「ーで」に かえる。
The *te*-form of a *Na* adjective is used as a conjunction − *na* is replaced by *de*.

しずか**な** → しずか**で**
shizukana　　*shizukade*

にぎやか**な** → にぎやか**で**
nigiyakana　　*nigiyakade*

「ひろ子さんは きれいです。」＋「ひろ子さんは りょうりが 上手です。」
Hiroko-san is pretty + *Hiroko-san* is a good cook.

→ ひろ子さんは きれい**で**、りょうりが 上手です。
Hiroko-san is pretty and a good cook.

❗ 文の 最後の 動詞を 過去形に すれば、文の 中を 過去形に しなくても いい。
If the last verb in a sentence is in the past tense, it is not necessary to use the past tense earlier in the sentence.

❗ 文が 過去形でも 「〜で」の 形は 同じで、かわらない。
A *Na* adjective is followed by *de* as a conjunction, even when used in the past tense.

「祖母は しずか**でした**。」＋「祖母は やさしかったです。」
The grandmother was gentle + The grandmother was kind.

→祖母は しずか**で**、やさしかったです。
The grandmother was gentle and kind.

1. この はさみは べんり**で**、いい はさみです。
   These scissors are convenient; they are good scissors.
2. 先生は ハンサム**で**、げんきな 人でした。
   The teacher was handsome and vivacious.
3. 山田さんは フランス語が 上手**で**、林さんは えい語が 上手です。
   Yamada-san is good at French. *Hayashi-san* is good at English.
4. 兄は ひま**で**、姉は いそがしいです。
   My older brother is free but my older sister is busy.

3. 文法

7 ぶんを「て・で」で つなぐ ほうほう

③ い形容詞 くて、～ [I adjective] *kute* ~

わたしの カバンは 大**きくて**、おもいです。
My bag is large and heavy.

● **Point** < ___A___ は ［い形容詞］**くて**、～です。>
　　　　　　A *wa* (*I* adjective) *kute*, --- *desu*.

< ___A___ は ［い形容詞］**くて**、___B___ は ～です。>
A *wa* (*I* adjective) *kute*, B *wa* ---*desu*.

い形容詞を つなぐ ときは、「－**い**」を 「－**くて**」に かえる。 The *te*-form of an *I* adjective is used as a conjunction － *i* is replaced by *kute*.

さむ**い** → さむ**くて**　　*samui* → *samukute*

かる**い** → かる**くて**　　*karui* → *karukute*

「この 花は あかい。」+「この 花は 小さい。」
This flower is red + This flower is small

→ この 花は あか**くて**、小さい。
This flower is red and small.

「なつは あついです。」+「ふゆは さむいです。」
Summer is hot + Winter is cold

→ なつは あつ**くて**、ふゆは さむいです。
Summer is hot, but winter is cold.

1. あの レストランは 安**くて**、おいしいです。
That restaurant over there is inexpensive and the food is delicious.

2. ゆきは 白**くて**、つめたいです。
Snow is white and cold.

3. 空は あお**くて**、ひろいです。
The sky is blue and big.

4. 花子は 子どもの とき、あたまが よ**くて**、げんきでした。
When ***Hanako*** was a child she was clever and athletic.

121

文を「て・で」でつなぐ方法　練習問題

＿＿＿に 何を 入れますか。1・2・3・4から いちばん いい ものを 一つ えらんで ください。

1 男の子は 5さい＿＿＿、女の子は 3さいです。

1. が　　2. と　　3. で　　4. に

2 この こうえんは ひろ＿＿＿、しずかです。

1. いで　　2. いと　　3. くて　　4. い

3 この たてものは たいしかん＿＿＿、あの たてものは びょういんです。

1. が　　2. へ　　3. に　　4. で

4 パーティーは にぎやか＿＿＿、たのしかった。

1. で　　2. くて　　3. に　　4. の

5 この いけは 大き＿＿＿、きれいです。

1. くて　　2. い　　3. いと　　4. いや

6 母は うたが 上手＿＿＿、父は えが 上手です。

1. に　　2. と　　3. が　　4. で

答え：1-3、2-3、3-4、4-1、5-1、6-4

3. 文法

8 自動詞・他動詞／～て いる・～て ある

① ウォーミングアップ Warming up

● 自動詞・他動詞　Intransitive verbs/Transitive verbs

～が　自動詞	～を　他動詞
Intransitive verbs	Transitive verbs
まどが　あきます	（私は）　まどを　あけます
The window is open.	I will open the window.
まどが　しまります	（私は）　まどを　しめます
The window is closed.	I will close the window.
電気が　きえます	（私は）　電気を　けします
The power is off.	I will turn off the power.
電気が　つきます	（私は）　電気を　つけます
The power is on.	I will turn on the power.
電話が　かかります	（私は）　電話を　かけます
The phone is ringing.	I will make a phone call.
本が　ならびます	（私は）　本を　ならべます
The book is lining up.	I will line up the book.
車が　とまります	（私は）　車を　とめます
The car is parked.	I will park the car.

自動詞 (じどうし) Intransitive

あそぶ play	あるく walk	居る exist (animate)	要る need	生まれる be born	
おきる wake up	およぐ swim	おわる finish	かえる return (to a place)	きえる go out	しまる close
すむ live	すわる sit	たつ stand	来る come	こまる be troubled	つかれる be tired
出る go out	ならぶ line up	ねる sleep	はしる run	はれる clear (weather)	ふる fall
まがる turn	休む rest	わかる understand			

他動詞 (たどうし) Transitive

あける open	あらう wash	うたう sing	うる sell	おく place	おしえる teach
おす push	おぼえる remember	かえす return (an object)	書く write	かける hang	聞く listen/ask
しめる fasten/close	すう inhale	出す take out of/send	たのむ request	食べる eat	(かみを)きる cut
(ふくを)きる wear		けす turn off	つかう use	つとめる work (for a company)	
とる take	(しゃしんを)とる take (a photograph)		ならう learn	ならべる line up	ぬぐ take off
はく put on (clothes)	はる stick on	話す speak	(ギターを)ひく play (an instrument)		まつ wait
みがく polish	見せる show	見る watch	やる do	読む read	わたす hand over
忘れる forget	(かさを)さす put up (an umbrella)		れんしゅうする practice		

3. 文法

8 自動詞・他動詞／〜ている・〜てある

② 自動詞・他動詞　Intransitive and Transitive Verbs

母が　電気を　けしました。電気が　きえました。
My mother turned off the lights. The lights are (turned) off.

● Point　＜〜を＋他動詞＞

---*o* + transitive verb

　　　　Xが／は　〜を　動詞

　　　　　X *ga/wa* object *wo* V

1. ・めぐみさんが　電気を　けしました。
    Megumi-san turned off the lights.

   ・ジョンさんが　まどを　しめました。
    John shut the window.

   ・さあ、でかけましょう。
    Let's go out.

2. A「車の　ドア、しめた？」
    Did you close the car door?

   B「うん。しめた。」
    Yes, I closed it.

ドアを　しめます

● Point　＜〜が＋自動詞＞

---*ga* + intransitive verb

　　　　Xが　動詞

　　　　　X *ga* V

1. 今、東京タワーの　電気が　ついた。
    The lights of Tokyo Tower are on.

2. 「ドアが　しまります。あぶないですよ。」
    The (train) doors are about to close. Be careful.

3. 電車の　ドアが　あいた。人が　たくさん　おりた。
    The door of the train opened. A lot of people got off.

ドアが　しまります

125

8 自動詞・他動詞 / 〜ている・〜てある

③ 〜て います

A まどが しまっ**て います**。
The window is closed.

● **Point** ＜自動詞＋**て**＋**います**＞
Intransitive verb + *te* + *imasu*

A じょうたいを あらわす。
te imasu is used to describe an existing condition i.e. something has happened and remains in that condition.

1. いい 天気です。空が はれ**て います**。
It's a nice (day), isn't it? The sun is out and the sky is clear.

2. きのう スキーを して とても つかれました。今も まだ つかれ**て います**。
I was exhausted after skiing yesterday. I am still tired.

3. いもうとは けっこんし**て います**。いもうとは きょ年 けっこんしました。
My youger sister is married. She got married last year.

● **Point** その他の ＜動詞＋**て**＋**います**＞
Other uses of verb *te* + *imasu* form.

B どうさが つづいて いる。
It is used to express the continuation of a progressive action.

1. おとうとは 今 べんきょうを し**て います**。
My younger brother is studying at the moment.

2. わたしは 今 えを かい**て います**。
I am painting a picture now.

3. きのう 9時ごろ バーで さけを 飲ん**で いました**。
I was drinking alcohol in a bar at around nine o'clock yesterday.

C 何回も する。いつも する。
It is used to describe a habitual or repeated action.

1. あの みせでは 新しい やさいを うっ**て います**。
That vegetable store sells fresh vegetables.

2. おとうとは 中学に 行っ**て います**。
My younger brother attends junior high-school.

D しごとを 言う。
It is used when stating occupations.

1. あには えい語の 先生を し**て います**。
The elder brother is an English teacher.

2. 母は いしゃを し**て います**。
My mother is a doctor.

3. 文法

8 自動詞・他動詞 / 〜ている・〜てある

④ 〜て あります

つくえの 上に 本が おい**て あります**。
The book is on the desk.

● Point ＜〜が＋他動詞＋て＋あります＞

ga + transitive verb + *te* + *arimasu*

1. A「出かけるとき、ドアに かぎを かけて ください。」
    Please lock the door.

   B「もう、かぎが かけ**て あります**よ。
    It is already locked.

     さっき、わたしが かぎを かけました。」
     I locked it a moment ago.

   A「あ、そうですか。ありがとう。」
    Did you? Thank you.

2. A「さあ、じゅぎょうを はじめましょう。つくえの 上に 本を
    Let's begin the lesson. Please put your book on the desk.

    出して ください。」

   B「もう 出し**て あります**。」
    It is already on the desk. (B has put the book on the desk.)

   A「はい。じゃ、はじめます。」
    Let's begin.

3. A「カレンダーは どこに ありますか。」
    Where is the calendar?

   B「かべに かけ**て あります**よ。ほら、あそこ。」
    It is hanging on the wall.(Someone has hung on the wall.) You see?

127

8 自動詞・他動詞 / 〜て いる・〜て ある

⑤ 「自動詞＋て いる」と「他動詞＋て ある」の まとめ

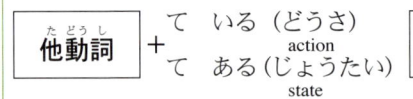

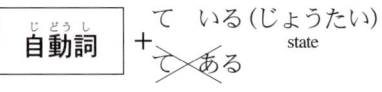

| 他動詞 | ＋ て いる（どうさ） action
て ある（じょうたい） state | 自動詞 | ＋ て いる（じょうたい） state
~~て ある~~ |

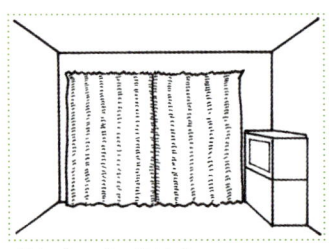

だれも いません

⇩

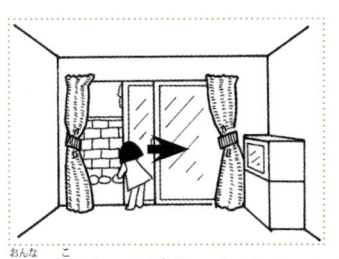

女の子が まどを あけて います
（どうさ） action

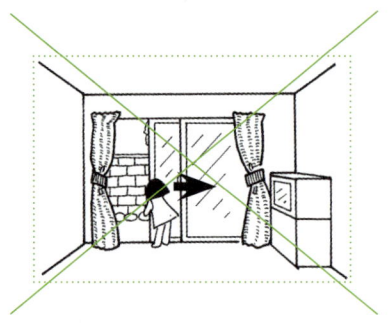

⇩

まどが あけて あります
（じょうたい） state

まどが あいて います
（じょうたい） state

自動詞・他動詞 / 〜ている・〜てある　練習問題

3. 文法

_____に 何を 入れますか。いちばん いい ものを 一つ えらんで ください。

1　男の人は ドアを しめました。ドアが _____。

1. しめました　　2. しまりました　　3. しめて います

2　うんてんしゅが バスを とめました。バスが _____。

1. とまりました　　2. とめました　　3. とめて います

3　かぜが つよいから、だれも まどを _____が、まどが _____。

1. あいた／あけた　　　2. あけない／あかない

3. あけた／あいた　　　4. あけなかった／あいた

4　まどを _____ときは、この ボタンを おして ください。まどが _____。

1. しまる／しめます　　2. しめる／しまります

3. しめる／しめます　　4. しまる／しまります

答え：1-2、2-1、3-4、4-2

5 空（そら）に ＿＿＿＿＿。

1. 月（つき）が 出（で）て います
2. 月を 出て います
3. 月が 出しました
4. 月を 出ました

6 あついから、＿＿＿＿＿。

1. まどが あけて います
2. まどが あけて あります
3. まどを あいて います
4. まどを あいて あります

7 テーブルの 上（うえ）に ＿＿＿＿＿。

1. コップが ならべて います
2. コップが ならべました
3. コップが ならんで います
4. コップを ならびました

答え：5-1、6-2、7-3

3. 文法

9 文の文法（文の組み立て）
① 文の かたち

A 名詞が 2つ以上 ある 文
A sentence that has two or more nouns

● **Point** 名詞と 名詞を つなぐ＜名詞＋の＋名詞＞
noun + ***no*** + noun, used between a noun and a noun as a conjunction.

1. きのう 日本の えいがを 見ました。
   Yesterday I watched a Japanese movie.

2. ケンさんの いえの だいどころは ひろいです。
   The kitchen in Ken's house is large.

B 動詞が 2つ以上 ある 文
A sentence that has two or more verbs

● **Point** 目的を あらわす＜動詞［ます形］＋に＋［行きます／来ます／かえります］＞
masu-form verb + ***ni*** + ***ikimasu***, ***kimasu***, ***kaerimasu***, used to describe a purpose.

1. ごはんを 食べに 行きます。
   I am going to have (eat) a meal.

2. あなたに あいに 来ました。
   I came to meet you.

3. わすれものを とりに いえに かえります。
   I am going to return home to collect something I forgot.

● **Point** 順番を あらわす＜動詞［て形］＋動詞＞
verb-***te*** + verb, used to describe an order.

1. あさ おきて、コーヒーを 飲んで 新聞を 読みます。
   In the morning I wake up, have (drink) a coffee, and read the newspaper.

2. 新聞を 読んで から 出かけます。
   I will leave after reading the newspaper.

3. わたしは いつも ごはんを 食べないで 学校へ 来ます。
   I always go to school without eating (before I leave home).

●その他（た）　　others

1. あるき**ながら**、おんがくを 聞（き）きます。
　　　　　　　　I listen to music while walking.

2. 学校（がっこう）から 帰（かえ）る **とき**、トムさんに 会（あ）いました。
　　　　　　　　I met Tom when I was returning from school.

3. 「アンさんは さしみを 食（た）べますか。」
　　　　　　　　Does Anne eat sashimi?

「さあ、食（た）べる**か**、食（た）べない**か**、わかりません。」
　　　　　　　　I don't know whether she does or not.

4. いつも この きっさてんで おちゃを 飲（の）ん**だり** ケーキを
　　　　　　　　I always have something like tea and cake at this coffee shop.

食（た）べ**たり** します。

C 名詞（めいし）の 前（まえ）に 動詞（どうし）が ある 文（ぶん）
Placing a verb before a noun

●Point　名詞（めいし）を 説明（せつめい）する 動詞（どうし）＜動詞普通形（どうしふつうけい）＋名詞（めいし）＞
plain form + noun, a verb which explain a noun.

1. 大学（だいがく）へ 行（い）く バスに のります。
　　　　　　　　I will get on the bus going to school.

（× 大学（だいがく）へ 行（い）~~きます~~ バス　　× 大学（だいがく）へ 行（い）く~~の~~ バス）

2. 友（とも）だち**が** つくった りょうりを 食（た）べました。
　　　　　　　　I ate the meal my friend made.

＝友（とも）だち**の** つくった りょうりを 食（た）べました。
　　　　　　　　＝ I ate the meal made by my friend.

（× 友（とも）だちが つく~~り~~ました りょうり

　　　　× 友（とも）だちが つくった~~の~~ りょうり）

3. 文法

D 形を 変えた 文 Transformation

1. <u>あれは</u> だれですか。⇒<u>あの 人</u>は だれですか。
   Who is that? → Who is that person?
2. これは <u>わたしの かさ</u>です。⇒この かさは <u>わたしの</u> です。
   This is my umbrella. → This umbrella is mine.
3. ふくろの 中に <u>お金が</u> あります。⇒<u>お金は</u> ふくろの 中に あります。（×ふくろの 中に お金は あります）
   There is money in the bag. → Money is inside the bag.

＜もんだいの れんしゅう＞

✎ ＿★＿に 入る ものは どれですか。１・２・３・４から いちばん いい ものを 一つ えらんで ください。

1 みちを ＿＿＿＿ ＿★＿ ＿＿＿＿ ＿＿＿＿。

(1) ながら　　(2) 聞きます　　(3) おんがくを　　(4) あるき

🔑 KEY　答えを 見つける 方法
Finding the answer

1. きほんの 文を 見つける。
   Find the core of the sentence

   (1) ながら　　(2) 聞きます　　(3) おんがくを　　(4) あるき
   ⇒ おんがくを 聞きます。（＝きほんの 文）

2. みちを ［　？　］　（「みちを」に つづく ことばを さがす）
   Find the word which follows *michi wo*.
   ⇒ みちを ［あるき（あるく）］

⇒⇒「みちを あるき ながら おんがくを 聞きます。」
　　　　　　　　★

答え：1-1

2 あそこで ＿＿＿ ＿＿＿ ＿★＿ ＿＿＿ は 田中さんです。

(1) と　　(2) 人　　(3) 先生　　(4) 話して いる

🔑 KEY　答えを 見つける 方法
　　　　　　　　Finding the answer

1. きほんの 文を 見つける。
　　　　　Find the core of the sentence

　⇒きほんの 文：[＿＿＿＿＿] 人は 田中さんです。

2. [＿＿＿＿＿] に 入る ことばを 見つける。
　　　　　　Insert words into the blank space.

　⇒ [話して いる] 人は 田中さんです。

　　⇒⇒ 「あそこで 先生 と 話して いる 人は 田中さんです。」
　　　　　　　　　　　　　　★

答え：2-4

■文章の文法■

＜もんだいの れんしゅう＞

✏️ 1 から 5 に 何を 入れますか。ぶんしょうの いみを かんがえて、1・2・3・4から いちばん いい ものを 一つ えらんで ください。

ヤンさんは、大阪に いる タカシさんに Eメールを 書きました。
Yan-san wrote an e-mail to *Takashi-san*, who is in *Osaka*.

わたしは いま 東京に 1 。東京は 2 、おもしろい ところです。まいにち 日本語学校で べんきょうして います。学校は たのしいです。 3 、ときどき テストが ありますから、ちょっと たいへんです。学校で とった しゃしんを おくりますから、 4 。

もうすぐ なつ休みですね。タカシさんに とても 会いたいです。 5 。まって いますよ。

---

1 1. 行きます　　　2. 来ます
   3. います　　　　4. あります

2 1. にぎやか　　　2. にぎやかで
   3. にぎやかだ　　4. にぎやかだから

3 1. だから　　　　2. それから
   3. それでは　　　4. でも

4 1. 見ましょう　　2. 見て ください
   3. 見たいです　　4. 見るでしょう

5　1. りょこうします　　　2. こちらへ　来ませんか

　　3. そちらに　行きましょう　4. あそびに　行きます

🔑 KEY　答えを　見つける　方法
Finding the answer

1 文章を　よく　読んで、だいじな　ことばに　下線を　つけます。
Read the sentence carefully and underline the important words.

「東京」「日本語学校」「たのしいです」「テスト」「たいへんです」

「しゃしん」「会いたいです」「まって　います」

2 文章の　流れを　しらべます。
Identify the sentence flow.

①東京のまち⇒　②学校のべんきょう⇒　③しゃしん

⇒ ④「(タカシさんに)会いたいです」「まって　います」

3 空白が　ある　文が　どんな　文か、考えて　ことばを

えらんで　うめます。

①東京は：にぎやか＋おもしろい＋ところ
Insert the correct word into the blank space.

⇒**にぎやかで**、おもしろい　ところ

②学校は：たのしいです。　たいへんです。
　　　　　（↑いいこと）　　（↑よくないこと）

⇒たのしいです。**でも**、たいへんです。

③なつ休みには：「(タカシさんに)会いたいです」「まって　います」

⇒「なつ休みに　**こちら**(東京)**へ**　**来ませんか**」(＝こちらで　まって　います)

答え：1-3、2-2、3-4、4-2、5-2

正しい 文章

わたしは いま 東京に 「います」。東京は 「にぎやかで」、おもしろい ところです。まいにち 日本語学校で べんきょうして います。学校は たのしいです。「でも」、ときどき テストが ありますから、ちょっと たいへんです。学校で とった しゃしんを おくりますから、「見て ください」。

もうすぐ なつ休みですね。タカシさんに とても 会いたいです。「こちらへ 来ませんか」。まって いますよ。

> I am currently in *Tokyo*. It is a lively and interesting place. I study at Japanese language school every day. School is fun, although sometimes we have tests, which makes things a little bit hard. I am sending a photograph from school (for you to look at).
> Soon it will be summer holidays. I would really like to meet you (*Takashi-san*). Won't you come (to *Tokyo*)? I am waiting for you.

ぶんしょうの ぶんぽう ＜だいじな ことば＞

文と 文を つなぐ ことば

1 続く 意味 （順接 resultative ）

そして　　　それから (p164)　　～て（で）(p119)

～から (p157)　　だから　　　それでは (p176)

2 反対の 意味 （逆接 contradictory conjunction ）

～が (p148)　　しかし (p148)　　でも (p148)

文法　練習問題　＜文の文法１＞

____に　何を　入れますか。1・2・3・4から　いちばん　いい　ものを　一つ　えらんで　ください。

1 あの　店____　おちゃを　飲みましょう。
　1. が　　　2. に　　　3. で　　　4. は

2 この　くつしたは　1足　500円ですが、3足____　1,000円です。
　1. に　　　2. が　　　3. と　　　4. で

3 リンさんは　びょうき____　会社を　休んで　います。
　1. で　　　2. に　　　3. が　　　4. から

4 横浜まで　電車____　行きましょう。
　1. で　　　2. に　　　3. へ　　　4. が

5 京都へ　行くとき、東京駅で　しんかんせん____　のりました。
　1. に　　　2. は　　　3. を　　　4. が

6 この　かみ____　電話ばんごうを　書いて　ください。
　1. で　　　2. が　　　3. に　　　4. と

7 会社の　となり____　ぎんこうが　あります。
　1. に　　　2. で　　　3. を　　　4. が

8 6時に　会社____　出て、うちへ　かえります。
　1. に　　　2. から　　3. へ　　　4. を

答え：1-3、2-4、3-1、4-1、5-1、6-3、7-1、8-4

3. 文法

9 「けさ 何＿＿＿ 食べましたか。」
「いいえ。何も 食べませんでした。」

1. か　　2. を　　3. も　　4. は

10 中国＿＿＿ りゅうがくせいが 5人 います。

1. から　　2. からの　　3. へ　　4. までの

11 この 大学には 韓国人や 中国人や アメリカ人＿＿＿の 学生が います。

1. だけ　　2. など　　3. から　　4. や

12 きのうは どこ＿＿＿ 行きませんでした。一日中 うちに いました。

1. か　　2. からも　　3. に　　4. へも

13 わたしは えい語は わかります。でも、中国語＿＿＿ わかりません。

1. も　　2. は　　3. に　　4. と

14 あそこに 女の 人が 3人 いますね。＿＿＿ 人が 中山さんですか。

1. どれ　　2. どんな　　3. どの　　4. どう

15 「あの かたは ＿＿＿ ですか。」
「北山先生です。」

1. どちら　　2. どなた　　3. いかが　　4. どうして

16 きのうの テストは あまり ＿＿＿。

1. むずかしかったです　　2. むずかしいでした
3. むずかしくなかったです　　4. むずかしいです

答え：9-1、10-2、11-2、12-4、13-2、14-3、15-2、16-3

文法　練習問題　＜文の文法１＞

17. ＿＿＿＿　ところに　すみたいです。
1. しずかな　　2. しずかで　　3. しずか　　4. しずかの

18. きょ年の　ふゆは　＿＿＿＿。
1. あたたかいでした　　　　2. あたたかい　ふゆです
3. あたたかかったです　　　4. あたたかい

19. 東京には　＿＿＿＿　こうえんが　あまり　ありません。
1. 大きいの　　2. 大きいな　　3. 大きく　　4. 大きい

20. 今日は　たんじょうびですから、＿＿＿＿　うちに　帰りたいです。
1. はやいに　　2. はやくて　　3. はやいで　　4. はやく

21. ゆうべは　＿＿＿＿　ねました。
1. おそい　　2. おそいに　　3. おそかった　　4. おそく

22. きのう　せいの　＿＿＿＿　人が　ここへ　来ましたよ。
1. 高いの　　2. 高かった　　3. 高い　　4. 高くて

23. たんじょうび＿＿＿＿　プレゼントは　何ですか。
1. の　　2. に　　3. を　　4. へ

24. わたしは、友だちが　＿＿＿＿　えを　見ました。
1. かいた　　2. かいて　　3. かくの　　4. かいたの

答え：17-1、18-3、19-4、20-4、21-4、22-3、23-1、24-1

3. 文法

25 _____ ものは 買わないで ください。

1. いらなくて 2. いらない 3. いらなかったの 4. いらないの

26 わたしの いえは _____、あかるい。

1. 新しいで
2. 新しくて
3. 新しくて
4. 新しいと

27 学校の としょかんは _____、しょくどうは にぎやかだった。

1. しずかに 2. しずかと 3. しずかな 4. しずかで

28 デパートへ _____ 買いものを してから、えいがを 見ましょう。

1. 行くと 2. 行って 3. 行きますと 4. 行った

29 学校まで _____ 行きます。

1. あるいて 2. あるき 3. あるく 4. あるいた

30 あそこに _____ 休みましょう。

1. すわった 2. すわる 3. すわって 4. すわると

31 おとうとは きょねんから アメリカへ 行って います。日本に _____。

1. かえりました 2. 来て います 3. いません 4. 来て いません

32 かぜが つよいから、ドアが _____。

1. しめて います
2. しめます
3. しまります
4. しめて あります

答え：25-2、26-2、27-4、28-2、29-1、30-3、31-3、32-4

文法　練習問題　＜文の文法１＞

33　あの　めがねを　＿＿＿＿　人は　だれですか。
1. かけました　　　　　　2. かけて　いる
3. かけるの　　　　　　　4. かけて　ある

34　ぎんこうへ　お金を　＿＿＿＿　に　行きました。
1. 出して　　2. 出す　　3. 出し　　4. 出した

35　きのう　友だちが　わたしの　うちへ　＿＿＿＿　来ました。
1. あそぶ　　2. あそび　　3. あそんで　　4. あそびに

36　わたしは　友だちが　＿＿＿＿　います。
1. ５人　　2. ５人の　　3. ５人が　　4. ５人と

37　「あの　学生を　しって　いますか。」
「いいえ、＿＿＿＿。」
1. しって　いません　　　　2. しりません
3. しって　います　　　　　4. しって　いない

答え：33-2、34-3、35-4、36-1、37-2

文法 練習問題 ＜文の文法２＞

3. 文法

✏️ ＿★＿に 入る ものは どれですか。1・2・3・4から いちばん いい ものを 一つ えらんで ください。

① テーブル ＿＿ ＿＿ ＿★＿ ＿＿ 5こ あります。
1. に　　　2. コップが　　3. 上　　4. の

② きょうしつ ＿＿ ＿＿ ＿★＿ ＿＿ いますよ。
1. だれか　　2. の　　3. に　　4. 中

③ あなた ＿＿ ＿★＿ ＿＿ ＿＿ すきですか。
1. スポーツ　　2. が　　3. は　　4. どんな

④ この ＿＿ ＿＿ ＿★＿ ＿＿ です。
1. わたし　　2. あつい　　3. の　　4. 本は

⑤ A「いえ ＿＿ ＿★＿ ＿＿ ＿＿ かかりますか。」
B「30分くらい かかります。」
1. 学校　　2. まで　　3. どれくらい　　4. から

⑥ あした ＿＿ ＿＿ ＿★＿ ＿＿ ください。
1. 来て　　2. こちらへ　　3. あさって　　4. か

⑦ その ＿＿ ＿★＿ ＿＿ ＿＿ ありますか。
1. つくえの　　2. 何が　　3. 下に　　4. ひくい

⑧ としょかんへ ＿＿ ＿＿ ＿★＿ ＿＿ 行きました。
1. えいごの　　　　2. に
3. かり　　　　　　4. 本を

143

文法　練習問題　＜文の文法２＞

9　インドから ＿＿ ＿＿ ★ ＿＿ よろこんで います。
1. 見て　　2. ゆきを　　3. 学生は　　4. 来た

10　学校へ 行く とき、駅 ＿＿ ＿＿ ★ ＿＿ に のります。
1. で　　2. バス　　3. 前　　4. の

11　あの ＿＿ ＿＿ ★ ＿＿ どなたですか。
1. 男の　　2. せいが　　3. 人は　　4. 高い

12　とても ＿＿ ★ ＿＿ ＿＿ 。
1. きれいに　　2. なりました　　3. へやが　　4. きたなかった

13　わたしは けさ ごはん ＿＿ ★ ＿＿ ＿＿ 行きました。
1. へ　　2. 会社　　3. 食べないで　　4. を

14　駅から ＿＿ ＿＿ ★ ＿＿ かかりますか。
1. まで　　2. ぐらい　　3. 大学　　4. なんぷん

15　けさ ＿＿ ★ ＿＿ ＿＿ ここへ 来ました。
1. たかい　　2. 人が　　3. 女の　　4. せが

16　あの ＿＿ ＿＿ ★ ＿＿ ですか。
1. 大きい　　2. どなた　　3. 目が　　4. かたは

3. 文法

⑰ ソンさんは　にほんご　＿＿＿　＿＿＿　★　＿＿＿　うたいました。
1. じょうずに　　2. うた　　3. の　　4. を

⑱ いもうとは　＿＿＿　＿＿＿　★　＿＿＿　います。
1. 日本の　　2. べんきょうして　　3. 聞きながら　　4. うたを

⑲ これは　きょねん　＿＿＿　＿＿＿　★　＿＿＿　しゃしんです。
1. かぞく　　2. とった　　3. いっしょに　　4. と

⑳ 今年　＿＿＿　＿＿＿　★　＿＿＿　トムさんと　ワンさんです。
1. 休まなかった　　2. 学校を　　3. 1日も　　4. 学生は

答え		
1-1	正しい文	テーブルの　上に　コップが　5こ　あります。
2-3		きょうしつの　中に　だれか　いますよ。
3-4		あなたは　どんな　スポーツが　すきですか。
4-1		この　あつい　本は　わたしのです。
5-1		いえから　学校まで　どれくらい　かかりますか。
6-2		あしたか　あさって　こちらへ　来て　ください。
7-1		その　ひくい　つくえの　下に　何が　ありますか。
8-3		としょかんへ　えいごの　本を　かりに　行きました。
9-2		インドから　来た　学生は　ゆきを　見て　よろこんで　います。
10-1		学校へ　行く　とき、駅の　前で　バスに　のります。
11-1		あの　せいが　高い　男の　人は　どなたですか。
12-3		とても　きたなかった　へやが　きれいに　なりました。
13-3		わたしは　けさ　ごはんを　食べないで　会社へ　行きました。
14-4		駅から　大学まで　なんぷん　ぐらい　かかりますか。
15-1		けさ　せが　たかい　女の　人が　ここへ　来ました。
16-4		あの　目が　大きい　かたは　どなたですか。
17-4		ソンさんは　にほんごの　うたを　じょうずに　うたいました。
18-3		いもうとは　日本の　うたを　聞きながら　べんきょうして　います。
19-3		これは　きょねん　かぞくと　いっしょに　とった　しゃしんです。
20-1		今年　学校を　1日も　休まなかった　学生は　トムさんと　ワンさんです。
		／今年　1日も　学校を　休まなかった　学生は　トムさんと　ワンさんです。

文法 練習問題 <文章の文法>

1から5に 何を 入れますか。ぶんしょうの いみを かんがえて、1・2・3・4から いちばん いい ものを 一つ えらんで ください。

①

先週 わたしは ┃1┃ レストランへ 行きました。あねは ビールを 飲みましたが、わたしは ┃2┃ 。あねは ┃3┃ 飲みませんでしたが、かおが あかく なりました。┃4┃ にくの りょうりと サラダも 食べました。おなかが いっぱいに なりましたから、┃5┃ 。

┃1┃ 1. あねが　2. あねを　　3. あねと　　4. あねに
┃2┃ 1. 飲みました　　　　2. 飲んで
　　 3. 飲みませんでした　4. 飲んだ
┃3┃ 1. 少ししか　2. もう　　3. ちょっと　4. もっと
┃4┃ 1. だから　2. それでは　3. しかし　　4. それから
┃5┃ 1. もっと たくさん 食べたかったです
　　 2. ビールを もう少し 飲みました
　　 3. コーヒーは 飲まないで かえりました
　　 4. この レストランに また 行きたいです

②

わたしの かぞくを しょうかいします。わたしは 父と 母と あにと いもうとと いっしょに ┃1┃ 。父は ぎんこうに ┃2┃ 、あには かいしゃで ┃3┃ 。いもうとは 学生です。みんな しごとや べんきょうが いそがしいです。┃4┃ まいばん おそく かえります。でも、にちようびは みんな いっしょに ごはんを 食べたり、テレビを ┃5┃ 。

┃1┃ 1. すみます　　　2. あります
　　 3. いきます　　　4. すんで います

答え ① 1-3、2-3、3-1、4-4、5-3

3. 文法

2	1. しごとを して	2. しごとを します
	3. つとめて いて	4. つとめます

3	1. はたらいて います	2. 行って います
	3. つとめて います	4. 来て います

| 4 | 1. だから | 2. それから | 3. しかし | 4. でも |

5	1. 見ました	2. 見たりします
	3. 見ましょう	4. 見ません

③　わたしが すんでいる ところは 小さい まちです。この まちは うみの ちかくに ⎕1⎕。ここは さかなの りょうりが ゆうめいです。⎕2⎕、東京の 人も ここへ さかなの りょうりを ⎕3⎕。

　でも、わたしは さかなが あまり ⎕4⎕。こどもの ときから まいにち たくさん ⎕5⎕。

| 1 | 1. います | 2. あります | 3. です | 4. ある でしょう |

| 2 | 1. たぶん | 2. また | 3. これから | 4. だから |

3	1. 食べに 来ます	2. 食べます
	3. 食べに 行きます	4. 食べて います

4	1. すきです	2. すきではありません
	3. きらいです	4. きらいではありません

5	1. さかなを 食べたからです
	2. にくを 食べたからです
	3. さかなを 食べなかったからです
	4. にくを 食べなかったからです

答え　②　1-4、2-3、3-1、4-1、5-2　③　1-2、2-4、3-1、4-2、5-1

１ だいじな表現
が・でも・しかし

A この おかしは 高いですが、おいしくないです。
　　　This cake is expensive but not very nice.

● Point　＜〜が、〜。＞
　　　　　--- *ga*, ---

「わたしは 小さいですが、体が じょうぶです。」
　　　　I am not very big, but I am solid.

←→「わたしは 小さいですから、体が よわいです。」
　　　　I am not very big. That is why I am weak.

1. 今日は はれて いますが、さむいです。
　　　It is fine today, but it is cold.

2. シャツを あらいましたが、きれいに なりませんでした。
　　　I washed my shirts, but they are still dirty.

B この おかしは 高いです。でも、おいしくないです。
　　　This cake is expensive. However, it is not very nice.

● Point　＜〜。でも／しかし、〜。＞
　　　　　---. *demo/shikashi* ---.

1. デパートに 行きました。でも、しまって いました。
　　　I went to the department store. However, it was closed.

2. テストの まえに べんきょうしました。でも、テストが あまり よく できませんでした。
　　　I studied before the test. However, I didn't do very well.

3. ひるまで 雨が ふるでしょう。しかし、午後から はれるでしょう。
　　　It will probably rain until midday. However, in the afternoon it should be fine.

4. わたしの いえは 大きい。しかし、わたしの へやは せまい。
　　　My house is big. However, my room is small.

4. だいじな表現

② ながら

わたしは いつも 音楽を 聞き**ながら** べんきょう します。
I study while listening to music.

● **Point** ＜動詞［ます形］＋**ながら** 〜（し）ます。＞
masu-form verb + *nagara* --- *shimasu*

母は うたを うたい**ながら** りょうりを つくって います。
My mother is cooking while singing a song.

1．わたしは いつも テレビを 見**ながら** ごはんを 食べます。
I always eat my dinner everytime while watching television.

2．トムさんは へやで コーヒーを 飲み**ながら** おんがくを 聞いて います。
Tom is listening to music while drinking coffee in his room.

だいじな表現 3

とき

A べんきょうする **とき**、じしょを つかいます。
　　When I study I use a dictionary.

● **Point** ＜動詞普通形＋**とき**／名詞＋**の**＋**とき**＞

--- *toki* refers to the time of action/--- *no toki* refers to a point/period in time

1. 子どもは、ごはんを 食べる **とき**、スプーンを つかいます。
　　Children use a spoon when they eat.

2. わたしは、子ども**の** **とき**、ソウルに すんで いました。
　　When I was a child I lived in Seoul.

B 1　ユリさんの うちへ 行く **とき**、ユリさんに あげる 花を 買いました。
　　*On the way to **Yuri-san**'s house I bought her flowers.*

　　2　ユリさんの うちへ 行った **とき**、ユリさんと テレビを 見たり しゃしんを 見たり しました。
　　*When I went to **Yuri-san**'s house we watched T.V. and looked at photos.*

● **Point** ＜行く **とき**／行った **とき**＞

iku toki refers to the time before leaving for or on the way to a destination / *itta toki* indicates arrival at a destination

1. アメリカへ <u>行く</u> **とき**、成田で カメラを 買いました。
　　When I went to America I bought a camera at Narita Airport.

　＝アメリカに つく まえに、買いました。
　　Before leaving for/on the way to America, I bought.

2. アメリカへ <u>行った</u> **とき**、ホワイトハウスの 前で しゃしんを とりました。
　　When I went to America I took a photograph in front of the White House.

　＝アメリカへ ついて から、しゃしんを とりました。
　　When I arrived in America, I took a photograph.

4. だいじな表現

④ まえに

りょこうに 行く **まえに**、大きい かばんを 買いました。
I bought a large suitcase before going on my trip.

● **Point** ＜動詞［辞書形］＋**まえに、**〜（し）ます。＞
dictionary form verb + *mae ni* --- *shimasu*

（1） おかしを 買いました。 → （2） 友だちの うちへ 行きました。
I bought a cake.　　　　　　　I went to my friend's house.

＝友だちの うちへ 行く **まえに**、おかしを 買いました。
I bought a cake before going to my friend's house.

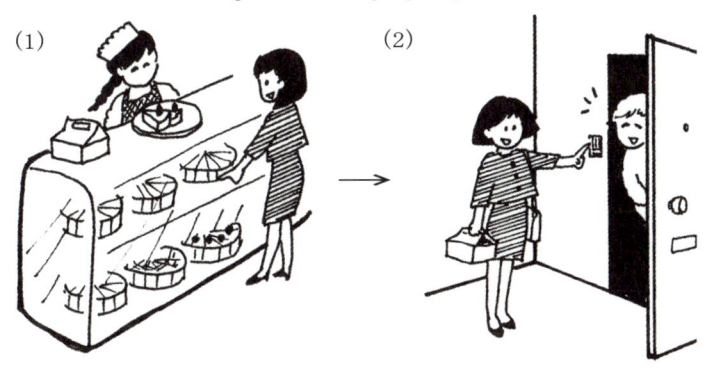

1．日本へ 来る **まえに**、日本語を ならいました。
I learnt Japanese before coming to Japan.

2．りょうりを つくる **まえに**、買いものに 行きましょう。
Let's go shopping before cooking.

▼ 「動詞［た形］＋まえに」は つかわない。
Mae ni is not used with a past tense verb.

× 日本へ 来た まえに 日本語を ならいました。

⑤ だいじな表現　〜た あとで

ぎんこうで　お金を　出した　あとで、デパートへ　行きました。
After withdrawing money at the bank I went shopping at the department store.

● **Point**　＜動詞［た形］＋あとで、〜（し）ます。＞
Ta-form verb + *ato de* --- *shimasu*

(1) ごはんを　食べます。　→　(2) くすりを　飲みます。
　　　　Eat some food　　　　　　　Take medicine

＝ごはんを　食べた　あとで、くすりを　飲みます。
　　　　I take my medicine after meals.

(1) 6:00〜7:00　　　　(2) 7:00

1. スポーツを　した　あとで、シャワーを　あびます。
　　　　After playing sport I take a shower.

2. しごとを　した　あとで、おさけを　飲みに　行きました。
　　　　After finishing work I went out drinking.

3. あした　テストが　おわった　あとで、えいがを　見ましょう。
　　　　After the test tomorrow let's go and watch a movie.

▼ 「あした／らいしゅう（future）」でも、「動詞た形」を　つかう。
Ato de is always preceded by a *ta* - form verb (perfect tense), even when talking about the future.

4. だいじな表現

⑥ 〜てから

手を あらっ**てから**、ごはんを 食べます。
I have meal after washing my hands.

● Point 　< X**てから**、Y（し）ます。>
　　　　　　　　　Y follows X

＝（1）はじめに　Xを　する。 → （2）つぎに　Yを　する。
　　　　　　The first action is X　　　　　Y is done after X is completed

（1）えい語を　べんきょうします。 → （2）アメリカへ　行きます。
　　　　Study English　　　　　　　　　　　Go to America

＝えい語を　べんきょうし**てから**、アメリカへ　行きます。
　　　　　After studying English I will go to America.

（1）　　　　　　　　　　（2）

1. ひらがなを　おぼえ**てから**、かんじを　おぼえました。
　　　After studying *hiragana* I began studying *kanji*.
2. 先生に　でんわを　かけ**てから**、先生の　いえに　行きました。
　　　After calling my teacher, I went to his house.
3. げんかんの　ドアを　しめ**てから**、出かけます。
　　　After closing the ***genkan*** (house entrance) door I will leave.

⑦ だいじな表現 〜たり、〜たり します

学生は 学校で かんじを おぼえたり、さくぶんを
書いたり します。
　　　　At school, students do things like learn *kanji* and write compositions.

● Point   ＜Xたり、Yたり します。＞
　　　　　　X + *tari*, Y + *tari* + *shimasu*

「Aや Bや Cや Dを します」A、B、C、Dぜんぶを 言わないで、
1つか 2つだけを 言う。 → Aを したり します。
　　　　　　　　　　　　　　Aを したり、Bを したり します。

---*tari* is used when giving an inexhaustive list of examples.
e.g. a list including A, B, and C.

2つの 動詞は にて いる もの、ちかい ものを つかう。

---*tari* is only used when the actions or conditions are related in some way.

○食べたり、飲んだり　○行ったり、来たり　○はれたり、くもったり
　Eat, drink, ...　　　　　Go, come, ...　　　　Be clear, cloudy (weather), ...

×手を あらったり、しごとを したり
　　I wash my hands, work, ...

×てがみを 書いたり、りょこうを したり
　　I write a letter, travel, ...

1. うみへ 行って、およいだり、魚を とったり しました。
　　I swam, fished, (and did other things) in the sea.

2. くるまは はしったり、とまったり します。
　　A car is running and then stopping.

3. 休みの 日は いえで そうじを したり します。
　　On my days off I do things like clean the house, (and do other things)

コラム

＜これも　おぼえましょう＞

〜中・〜中

■　〜中（〜ちゅう）　in the middle of ---

1．山田先生は、今　じゅぎょう中です。
　　　　　　　Mr.*Yamada* is in the middle of his class.
2．友だちは　りょこう中ですから、うちに　いません。
　　　　　　　My friend is traveling now, so he is not in his house.
3．あねは　電話中です。
　　　　　　　My elder sister is on the phone.

■　〜中（〜じゅう）　all over ---

4．ハワイは　一年中　あたたかいです。
　　　　　　　Hawaii is warm all long year.
5．今日は　一日中　雨が　ふって　います。
　　　　　　　It has been raining all day long today.
6．まち中　さくらが　さいて　います。
　　　　　　　Cherry flowers are blooming all over the town.

⑧ だいじな表現　どうして・なぜ

どうして　きのう　会社を　休みましたか。
Why didn't you come to work yesterday?

Q 「**どうして（なぜ）**　～か。」
　　　　　　　　　Why…

A 「～からです。」
　　　　　　Because…

1. A 「**どうして**　日本へ　行きますか。」
　　　　Why are you going to Japan?
　 B 「日本語を　べんきょうしたいからです。」
　　　　Because I want to study Japanese.

2. A 「**なぜ**　りょこうに　行きませんか。」
　　　　Why aren't you going traveling?
　 B 「お金が　ないからです。」
　　　　Because I don't have any money.

3. A 「**どうして**　この　まちが　すきですか。」
　　　　Why do you like this town?
　 B 「とても　しずかだからです。」
　　　　Because it is very quiet.

4. A 「**なぜ**　あの　店に　よく　行きますか。」
　　　　Why do you often go to that shop?
　 B 「安くて　おいしいからです。」
　　　　Because the food is inexpensive and tasty.

5. A 「**どうして**　おそく　来ましたか。」
　　　　Why are you late?
　 B 「けさ　あたまが　少し　いたかったからです。」
　　　　Because I had a slight headache this morning.

4. だいじな表現

⑨ から

A 天気が いい**から**、こうえんを さんぽしました。
The weather was fine, so I went for a walk in the park.

● Point ＜［りゆう］＋**から**。／［りゆう］＋**から**、～。＞
　　　　　　[reason] *kara*　　　　　　　[reason] *kara*, ~.

A「あの 人は はたらかないで あそんで います。」
　　That person never works, only has fun.

B「どうしてですか。」
　　Why?

A「お金が たくさん あります**から**。」
　　Because he has money.

⇒ あの 人は、お金が たくさん あります**から**、はたらかないで あそんで います。

1. この 子は むずかしい ことばが わかりません。まだ 小さい です**から**。
She/he doesn't understand difficult words because she is still a baby.
2. あつい**から**、まどを あけました。
It was a bit hot, so I opened the window.
3. 日本の うたは きれいだ**から**、すきです。
I like Japanese songs because they are nice.

B わたしは きのう 学校を 休みました。かぜを ひいた **からです**。
I had a day off school yesterday because I caught a cold.

● Point ＜［りゆう］＋**からです**。＞
　　　　　　[reason] (plain form) ***kara desu***.

1. いそがしく なりました。けっこうする**からです**。
I have become very busy because I am getting married.
2. うちが にぎやかに なりました。子どもが 生まれた**からです**。
The house is very lively now because we have had a baby.
3. 来週 国へ かえります。父が びょうきだ**からです**。
I will go home (to my county) next week because my father is sick.

⑩ だいじな表現 どう・いかが

「大学(だいがく)の べんきょうは どうですか。」
What is University study like?

「少(すこ)し むずかしいですが、おもしろいです。」
It's a bit difficult, but interesting.

---

(1) **どう**ですか

Q 「～は **どう**ですか。」
　　How is ~?
A 「おもしろいです／たのしいです／きれいです。」
　　Intersting/enjoyable/pretty(etc.)

1. A 「学校(がっこう)の べんきょうは どうですか。」
　　　How are your school studies?
   B 「おもしろいですよ。」
　　　Interesting.
2. A 「東京(とうきょう)の ちかてつは どうですか。」
　　　What is Tokyo's subway system like?
   B 「とても べんりです。」
　　　Very convenient.

(2) **いかが**ですか

　＝「どう」（ていねいな 言(い)いかた）
　　　　　Polite form of *dou*

Q 「～は **いかが**ですか。」
　　How is ~?
A 「おもしろいです／たのしいです／きれいです。」
　　Interesting/enjoyable/pretty(etc.)

1. A 「しごとは いかがですか。」
　　　How is your work?
   B 「とても いそがしいです。」
　　　Very busy.
2. A 「お父さんの びょうきは いかがですか。」
　　　How is your father's condition?
   B 「もう、よく なりました。」
　　　He has already recovered.

4. だいじな表現

⑪ どんな

「クラスの 先生は **どんな** かたですか。」
What is the teacher like?

「わかくて げんきな かたです。」
He is young and energetic.

● **Point** **どんな**は 名詞の 前に 来る。
〈*Donna*〉 always refers to a noun, precedes a noun.

Q 「〜は **どんな** [名詞] ですか。」
What /What kind of [noun] is ~?

A 「たのしい [名詞] です／きれいな [名詞] です。」
Enjoyable (noun)/pretty (noun) etc.

1. A 「中山さんは **どんな** 人ですか。」
   What is ***Nakayama-san*** like?

   B 「中山さんは せいが 高い 人です。」
   Nakayama-san is very tall.

2. A 「アンさんは **どんな** 学生ですか。」
   What kind of student is Ann-***san***?

   B 「よく べんきょうする 学生です。」
   She is a very diligent student.

3. A 「今 **どんな** 本を 読んで いますか。」
   What kind of book are you reading?

   B 「むずかしい えい語の 本を 読んで います。」
   A difficult English book.

4. A 「**どんな** えいがが すきですか。」
   What type of movies do you like?

   B 「たのしい えいがが すきです。」
   I like feel-good films.

⑫ だいじな表現
どのぐらい（どれぐらい）
どのくらい（どれくらい）

「かんじを **どのくらい** しって いますか。」
How many *kanji* do you know?
「そうですね…。もう 200 ぐらい おぼえました。」
Well. I already know about 200.

Q 「**どのぐらい／どれぐらい** 〜ますか。」
　　How many/long ~?
A 「（かず・りょう）〜ます／です。」
　　number, volume ---*masu/desu*.

1. A「いえから 学校まで **どのくらい** かかりますか。」
　　How long does it take to get from your home to school?
　B「４５分くらい かかります／４５分くらいです。」
　　It takes about 45 minutes./About 45 minutes.

2. A「キムさんは **どれぐらい** 日本語を べんきょうして いますか。」
　　How long has Kim-*san* been studying Japanese?
　B「３か月ぐらいです。」
　　About three months.

3. A「東京から 京都まで **どれくらい** ありますか。」
　　How far is it from *Tokyo* to *Kyoto*?
　B「500キロぐらい あります。」
　　About 500 kilometers.

【 しつもんの ことば 】
　　　　　　　　　Question words
1.「**いくら**ですか。」「１５００円です。」
　　How much is it?　￥1,500.
2.「**いつ**ですか。」「金ようびです。」
　　When?　　　　　Friday.
3.「**だれ（どなた）**ですか。」「キムさんです。」
　　Who?　　　　　　　　　　Kim-*san*.
4.「**どこ**ですか。」「東京です。」
　　Where?　　　　　*Tokyo*.
5.「**いくつ**ですか。」「３つです。」
　　How many?　　　Three.

4. だいじな表現

⑬ ごろ・くらい（ぐらい）

A わたしは きのう 10時**ごろ** ねました。
Last night, I went to sleep at about ten o'clock.

● Point　～**ごろ**＝だいたいの　じこく
--- *goro* = approximate time

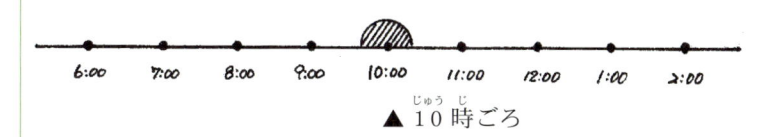

▲10時ごろ

1. 今年は　4月1日**ごろ**　さくらが　さくでしょう。
This year the cheery blossoms will probably begin blooming from around April 1st.
2. 毎ばん　何時**ごろ**　ねますか。
About what time do you go to sleep every night?

B わたしは きのう 10時間**ぐらい** ねました。
Last night, I slept for about ten hours.

● Point　～**くらい（ぐらい）**＝だいたいの　時間（長さ）・かず・りょう
Kurai and *gurai* are used to approximate time period, volume, and number

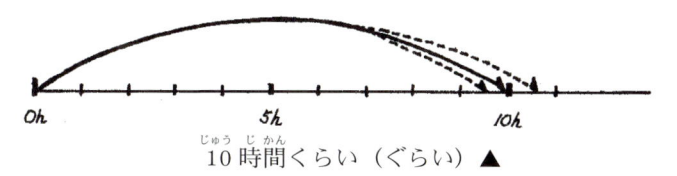

10時間くらい（ぐらい）▲

5つ**くらい**、10人**くらい**、100グラム**くらい**
about 5, about 10 people, about 100 grams.

1. この　学校には　学生が　250人**くらい**　います。
There are approximately 250 students at this school.
2. ここから　銀座まで　ちかてつで　20分**ぐらい**です。
It takes about 20 minutes to get from here to *Ginza* by subway.

161

だいじな表現 14 だけ・しか

A おなかが いたかったから、何も 食べませんでした。
My stomach hurt, so I didn't eat anything.

おちゃ**だけ** 飲みました。
I only drank green tea.

● Point ＜～だけ ～（し）ます／です＞

1. A「クラスに 中国人の 学生が 20人 います。」
   There are 20 Chinese students in the class.

   B「アメリカ人は？」
   How many Americans?

   A「アメリカ人は 1人**だけ** います。」
   Only one.

B わたしの いえには テレビは ありません。
I don't have a television at home.

ラジオ**しか** ありませんから、ラジオを 聞きます。
I only have a radio, so I listen to the radio.

● Point ＜～しか ～（し）ません＞

～しか＝少し（ある）、～だけ（ある）

1. アメリカ人は 1人**しか** いません。
   There is only one American.

   ＝アメリカ人は 1人だけ います。

2. わたしは かんじを 少し**しか** しりません。
   I only know few *kanji*.

4. だいじな表現

⑮ ずつ

だいじな表現

１２人で　りょこうに　行きました。車が　３だい　ありました。
Twelve people went on the trip. We had three cars,
１だいに　４人**ずつ**　のりました。
four people in each.

● **Point**　［かず・りょう］＋ **ずつ**
　　　　　　　[number, volume] + *zutsu*

　　みんな　おなじ　かず（りょう）に　分ける。
　　　　　Zutsu indicates an equal distribution.

れい　「Ａ：５つ、Ｂ：５つ」→５つ**ずつ**
　　　　A: Five　B: Five

まり「キャンディーを　食べましょう。」
　　　Mari: Let's eat the candy.

けん「ぼく、たくさん　ほしい。」
　　　Ken: I want a lot.

まり「いいえ。わたしが　２つ、けんちゃんが　２つ。」
　　　Mari: You can't. There are two for me and two for **Ken-chan**.

けん「もっと　ほしい。」
　　　Ken: I want more.

まり「だめ。２つ**ずつ**よ。」
　　　Mari: No, two each.

２つずつよ。

1. 毎日　日本語の　本を　３ページ**ずつ**　べんきょうします。
　　I study three pages of my Japanese book every day.
2. この　くすりは　１かいに　２つ**ずつ**　飲んで　ください。
　　Please take two tablets at a time.

16 だいじな表現　それから

A 友（とも）だちと　えいがを　見（み）ました。**それから**　ごはんを　食（た）べました。

I watched a film with a friend and afterwards we had something to eat.

A ＝そのあと
= *sono ato* (after/and then)

1. はじめに　ひらがなと　カタカナを　べんきょうしました。**それから**　かんじを　べんきょうしました。

   First I studied *hiragana* and *katakana*, and then I moved on to *kanji*.

2. はじめに　ビールを　飲（の）みました。**それから**、ウイスキーと　ワインも　飲（の）みました。たくさん　飲（の）んだから、あたまが　いたいです。

   First I started drinking beer, and then whisky and wine. My head hurts because I drank a lot.

B ＝〜も
= --- *mo* (also)

1. えい語（ご）と　フランス語（ご）、**それから**　中国語（ちゅうごくご）が　できます。

   I can speak English, French, and also Chinese.

2. シャツと　ネクタイが　ほしいです。**それから**、くつしたも　買（か）いたいです。

   I want a shirt and a tie. I also want to buy a pair of socks.

▼ 「それから」 ≠ 「だから」
sore kara ≠ *dakara*

かぜを　ひいて　あたまが　いたいです。それから　今日（きょう）は　いえに　います。　（○ だから）
　　　　　　　　　　　　　　　　　　　　　　×

I have a cold and my headaches. That is why I am at home today.

4. だいじな表現

17 もう

「かした お金を かえして ください。」
　　Please repay the money I lent you.

「すみません。**もう** 1月 まって ください。」
　　Could you please wait another month?

● **Point**　　**もう** + ［かず・りょう］

　　　　　　　　mou + [number, volume]

　　　「プラス（＋）する」いみ。

　　　　　Mou can be used to indicate an addition to something

A 「100円の きってを 3まい ください。」
　　Could I have three ￥100 stamps please?

B 「3まい ですね。」
　　That was three.

A 「あ、すみません。**もう** 1まい ください。」
　　Oh, excuse me. Make that one more.

B 「ぜんぶで 4まいですね。」
　　That's four all together.

1．A 「さくぶん、できましたか。」
　　　Have you finished the composition?

　　B 「まだです。**もう** 少し まって ください。」
　　　Not yet. Could you please wait a little longer?

2．A 「今日 来る 人は パクさんと まりさん、2人ですね。」
　　　There are two people coming today, right? Paku-*san* and *Mari-san*.

　　B 「**もう** 1人、 ソンさんも 来ます。」
　　　There is one more, Son-*san*.

3．よく わかりません。**もう** 1ど 言って くださいませんか。
　　I don't understand. Could you please say that once more?

⑱ だいじな表現 もっと

A よく わかりません。**もっと** 大きい こえで 言って ください。
I can't understand. Could you please speak louder?

A ＜もっと＋形容詞＞
motto + adjective

1. A「今日は さむいですね。」
   It's cold, isn't it?

   B「ええ、きのうも さむかったですね。」
   Yes, yesterday was also cold.

   A「そうですね。でも、今日は **もっと** さむいですね。」
   That's true, but today is colder.

2. 北川さんは せいが 高いです。１８５センチ あります。
   Kitagawa-san is 185 cm tall.

   キムさんは **もっと** 高いです。１８８センチ あります。
   Kim-*san* is even taller. He is 188 cm.

B ＜もっと＋動詞＞
motto + verb

1. **もっと** 日本に いたいですが、来月 国へ かえります。
   I want to stay in Japan longer but have to return home next month.

2. 「**もっと** べんきょうして ください。」と 先生が 言いました。
   "Please study harder," said the teacher.

4. だいじな表現

19 いつも

しごとが あさ 6時に はじまりますから、**いつも** あさ はやく おきます。
My work start at six, so I get up early in the morning every day.

A 「毎日 うちで べんきょうを しますか。」
Do you study at home every day?

B 「ええ、**いつも** よる 2時間ぐらい べんきょうします。」
Yes, I study every night for about two hours.

1. この 国は 南に ありますから、ふゆが ありません。**いつも** なつです。1年中 あついです。
This country is close to the equator, so it is always in summer, hot all long year.

2. 東京駅は いちばん 大きい 駅ですから、**いつも** 人が おおぜい います。
Tokyo station is the biggest station, so it is always crowded.

3. あの 2人は **いつも** いっしょに います。
Those two are always together.

4. 休みの 日は **いつも** ひるごろまで ねて います。
I always sleep until about midday on my days off.

⑳ だいじな表現 たいてい

日(にち)ようびは **たいてい** いえに います。でも ときどき 出(で)かけます。

I am almost always at home on Sunday. Sometimes, however, I go out.

---

1. デパートは **たいてい** 10時(じゅうじ)から 8時(はちじ)までです。

   Department stores are usually open from 10 a.m. until 8 p.m.

   Aデパート　10時(じゅうじ)〜8時(はちじ)

   Department store A　　10 a.m. --- 8 p.m.

   Bデパート　10時(じゅうじ)〜8時(はちじ)

   Department store B　　10 a.m. --- 8 p.m.

   Cデパート　10時(じゅうじ)〜8時(はちじ)

   Department store C　　10 a.m. --- 8 p.m.

   ×Dデパート　11時(じゅういちじ)〜7時(しちじ)

   Department store D　　11 a.m. --- 7 p.m.

   Eデパート　10時(じゅうじ)〜8時(はちじ)

   Department store E　　10 a.m. --- 8 p.m.

2. ひるごはんは **たいてい** そばを たべます。

   I usually have *soba* for lunch.

   月(げつ)：そば　　　　Monday: *soba*

   ×火(か)：すし　　　　Tuesday: *sushi*

   水(すい)：そば　　　　Wednesday: *soba*

   木(もく)：そば　　　　Thursday: *soba*

   金(きん)：そば　　　　Friday: *soba*

3. 金(きん)ようびは **たいてい** テストが あります。

   There is a test almost every Friday.

4. だいじな表現

㉑ だいじな表現 (ひょうげん)
ときどき

わたしは　パーティーが　すきではありません。
でも、**ときどき**　友(とも)だちと　いっしょに　行(い)きます。
I don't like parties, however, sometimes I go with my friend.

---

1. 今日(きょう)の　天気(てんき)は、「はれ　**ときどき**　くもり」でしょう。
   Today's weather will be mainly fine, with cloud cover at times.

2. ねる　まえに　シャワーを　あびます。でも　**ときどき**　おふろに
   入(はい)ります。
   I usually take a shower before I go to sleep but sometimes have a bath.

3. 会社(かいしゃ)に　行(い)く　ときは、たいてい　せびろを　きて、ネクタイを
   しめて　行(い)きます。でも、**ときどき**　セーターを　きて　行(い)きます。
   I usually put on a suit and tie when I go to work but occasionally wear a sweater.

22 だいじな表現 よく

A むずかしくて **よく** わかりません。
It's difficult. I don't understand well.

● Point　**よく** わかります／できます

yoku wakarimasu/dekimasu (understand/do well)

いい→よく

ii (adjective) → *yoku* (adverb)

1. A「わかりましたか。」
   Do you understand?
   B「はい、**よく** わかりました。」
   Yes, I understand well.
2. テストは **よく** できました。９５てんでした。
   I did well on the test. I scored 95.
3. 先生に 聞きましたが、**よく** わかりませんでした。
   I asked the teacher but still didn't understand.

B わたしは ゴルフが 大すきです。**よく** ゴルフに 行きます。
I love playing golf. I go golfing regularly.

● Point　**よく** 〜（し）ます

yoku --- (shi)masu

1. ワンさんは **よく** 学校を 休みます。
   Won-*san* often takes the day off school.

   ○：学校へ 行った 日　　×：休んだ 日
   Days at school　　　　　 Days off school

   | ○ | ○ | × | ○ | ○ | × | × | × | ○ | ○ | × | ○ | ○ | ○ | ○ | × | ○ |

2. わたしは ふゆ **よく** かぜを ひきます。さよ年の ふゆは ４かい ひきました。
   I often catch a cold in winter. Last winter I caught one four times.

4. だいじな表現

23 また

マリアさんは　きょ年の　なつ休みに　日本へ　来て
2週間　いました。そして、今年　**また**　7月に　来ました。

Maria-san came to Japan for two weeks during the summer holidays last year. She came again this July.

● **Point** ＝もう1ど

mou ichi do =again

1. 先週　京都へ　行きました。とても　きれいな　ところでした。**また**　行きたいです。

   I went to *Kyoto* last week. It is a very beautiful place. I want to go again.

2. ケンは　よく　学校を　休みます。きのう　休みました。今日も　**また**　休みました。

   Ken is always taking days off school. He was away yesterday. And again today.

3. A「今日は　たのしかったです。ありがとう　ございました。」

   Today was very enjoyable. Thank you very much.

   B「どうぞ　**また**　あそびに　来て　ください。」

   It was my pleasure. Please come again.

4. A「では、**また**。」

   Well then, I'll see you later.

   B「しつれいします。**また**　来週。」

   See you next week.

24 だいじな表現 あまり ～ない

A わたしは えいがかんへ **あまり** 行き**ません**。うちで テレビを 見るからです。
I don't go to the movie theater very often. I watch TV at home.

● Point ＝少し～

< **あまり**＋動詞＋**ない** >
amari + verb + *nai*

「よく ～（し）ます」 ⟷ 「**あまり** ～（し）**ません**」
yoku --- (shi)masu ⟷ amari --- (shi)masen

1. たかしは **あまり** 学校へ 行き**ません**。
   Takashi doesn't go to school very often.

   ○：学校へ 行った 日　　×：休んだ 日
   　　Days at school　　　　Days off school

   ×○××○×××○××××××○×

2. A「いっしょに りょこうに 行きませんか。」
   Shall we go on a trip together?
   B「行きたいですね。でも 行きません。お金が **あまり** あり**ません**から。」
   I want to go, but I won't. I don't have very much money.

3. うちの 子は **あまり** べんきょうし**ません**。
   My children don't study very much.

4. わたしは てがみを **あまり** 書き**ません**。
   I don't write letters very often.

5. 男の 先生は たくさん いますが、女の 先生は **あまり** い**ません**。
   There are many male teachers, but not many women.

だいじな表現

B ぎゅうにくは　とても　高(たか)いですが、とりにくは　**あまり**
　高(たか)く**ありません**。

　　　Although beef is very expensive, chicken is cheap.

● Point 　＝少(すこ)し〜、ちょっと〜

<　**あまり**＋形容詞(けいようし)＋**ない**　>

amari + adjective + *nai*

あまり　おいしく**ない**　＝　ちょっと　おいしい
　　　　Not very tasty　　　　　　　slightly tasty

あまり　むずかしく**ない**　＝　少(すこ)し　むずかしい
　　　　Not very difficult　　　　　　slightly difficult

1．きょ年(ねん)の　なつは　とても　あつかったですが、今年(ことし)は　**あまり**
　あつく**ない**です。

　　　Last summer was sweltering, but this year it isn't so hot.

2．A「毎日(まいにち)　いそがしいですか。」

　　　Are you busy every day?

　B「いいえ、**あまり**　いそがしく**ありません**。」

　　　No, I'm not so busy.

3．わたしが　すんで　いる　ところは　べんりですが、**あまり**
　しずかでは**ありません**。

　　　Although I live in a convenient location, it is not very quiet.

だいじな表現 25 ちょっと

A 高いですね。もう **ちょっと** 安いのは ありませんか。
It's expensive, isn't it? Do you have anything slightly less expensive?

A ＝少し
sukoshi (a little)

1. A「さあ、れんしゅうを はじめますよ。」
   Training is starting.

   B「**ちょっと** まって ください。すぐ 行きますから。」
   Wait a moment please. I'm coming right now.

2. A「どうぞ もっと 食べて ください。」
   Please have some more.

   B「じゃ、**ちょっと**だけ いただきます。もう たくさん 食べましたから。」
   OK, just a little more. I have already eaten a lot.

3. つかれましたね。**ちょっと** 休みましょう。
   This is hard work. Let's have a short rest.

B ＝できない、むずかしい
dekinai, muzukashii (cannot do, difficult)

1. 店の人「それは いい カメラですよ。いかがですか。」
   Salesperson: This is a good camera. Do you like it?

   女の人「そうですね。でも、**ちょっと**……。高いですから。」
   Customer: It's nice, but a little expensive.

2. A「お金、かして。」
   Lend me some money.

   B「うーん、お金は **ちょっと**……。」
   I'm afraid I'm a bit short ...

3. A「今ばん、サッカーを 見に 行きませんか。」
   Would you like to go to watch the soccer tonight?

   B「すみません。今ばんは **ちょっと**……。」
   Sorry, I am busy tonight.

4. だいじな表現

26 だいじな表現 ちょうど

今 **ちょうど** 12時です。
It's exactly on twelve o'clock.

店の人 「この シャツは いかがですか。」
Salesperson: How about this shirt?

女の人 「ちょっと 大きいです。」
Customer: It's a little big.

店の人 「じゃ、こちらは？」
Salesperson: Then how about this one?

女の人 「ちょっと 小さいです。」
Customer: It's a little small.

店の人 「では、こちらは いかがですか。」
Salesperson: Well then, what about this?

女の人 「あ、これは **ちょうど** いいです。これを ください。」
Customer: That's perfect. I'll take this please.

---

1. 学生が 10人 いました。ノートが **ちょうど** 10さつ ありましたから、1さつずつ あげました。
   There were 10 students and 10 notepads, exactly the right number. I gave one notepad to each student.

2. この 本は ちょっと むずかしいです。うちの 子どもに **ちょうど** いい 本は ありませんか。
   This book is little bit advanced. Don't you have something that is the right level for my children?

3. 7550円の くつと 2450円の ネクタイを 買いました。**ちょうど** 1万円でした。
   I spent exactly ¥10,000: ¥7,550 for a pair of shoes and ¥2,450 for a neck tie.

4. わたしは 友だちと リーさんの 話を して いました。**ちょうど** その とき、リーさんが 来ました。
   Just as I was talking to my friend about Lee-san, she came by.

175

だいじな表現 (27) それでは

「りんごジュースを ください。」
Can I have some apple juice please?

「すみません。りんごジュースは 今 ありません。」
I'm sorry, we don't have any apple juice now.

「**それでは**、オレンジジュースを おねがいします。」
In that case, can I have some orange juice please?

● Point　＝では、じゃ、じゃあ

1. A「チャンさんは 日本へ べんきょうに 来ました。」
   Chan-*san* came to Japan to study.

   B「**それでは**、チャンさんは りゅう学生ですね。」
   So Chan-*san* is a foreign student.

2. A「日本語の べんきょうは はじめてですか。」
   Is this the first time you study Japanese?

   B「はい。そうです。」
   Yes it is.

   A「**それでは**、いちばん 下の クラスに 入って、ひらがなから べんきょうして ください。」
   In that case, please join the basic class and begin studying *hiragana*.

3. A「すみません。この 学校に 入りたいです。」
   Excuse me. I want to enter this school.

   B「はい。**それでは**、この かみに 名前と 電話ばんごうを 書いてください。」
   Yes. Then, please write your name and your telephone number on this paper.

4. さあ、べんきょうが おわりました。**それでは**、また 来週。さようなら。
   That's it for today everyone. Well, see you next week. Bye.

4. だいじな表現

(28) だいじな表現
もちろん

リーさんは 中国人だから、**もちろん** かんじを たくさん しって います。
Lee-san is Chinese, of course she knows a lot of *kanji*.

● **Point** ＝みんなが わかるから、言う ひつようは ないが……
It goes without saying.

＜もちろん＋形容詞／動詞＞
mochiron + adjective/verb

1. A「イリアントさん、インドネシアは あついでしょう。」
   Ilianto-san, it must be hot in Indonesia.

   B「ええ、**もちろん** あついですよ。赤道の 近くに ありますから。」
   Yes, of course it's hot. It's almost on the equator.

2. A「あした パーティーに 行きますか。」
   Are you going to the party tomorrow?

   B「はい、**もちろん** 行きます。ともだちも たくさん 行きます。」
   Yes, of course I'm going. Many of my friends are going too.

▼「もちろん。」「もちろんです。」

1. A「車が ほしい？」
   Do you want the car?

   B「うん、**もちろん**。」
   Yes, of course.

2. A「山下さんは えい語が できますか。」
   Can *Yamashita-san* speak English?

   B「ええ、**もちろんです**。山下さんは アメリカに 3年 いましたから。」
   Yes, of course. *Yamashita-san* lived in America for three years.

29-1 だいじな表現　～く　なります

しょうゆを　たくさん　入れました。りょうりが　から**く**
なりました。

I put lots of soy sauce (on the food).　It has become salty.

● **Point**　へんかの　ひょうげん

---*ku narimasu* expresses a change that occurs naturally.

< い形容詞＋**く**＋なります／なりました >

I adjective + *ku* + *narimasu* / *narimashita*

◇「あかるい」＋「く」＋「なります」

　　akarui + *ku* + *narimasu*

　→あかる**く**　なります

　　akaruku narimasu (become bright)

1. ふゆは　ゆうがた　5じごろ　くら**く**　なります。
   In winter it becomes dark about five o'clock in the evening.
2. 友だちが　国へ　かえったから、さびし**く**　なりました。
   I am (have become) lonely because my friend returned to his/her country.
3. おさけを　飲みました。体が　あたたか**く**　なりました。
   I drank *sake*. My body has become warm.

4. だいじな表現

29-2 〜に なります

B 6時に なりましたよ。さあ、はやく かえりましょう。
It is already six o'clock. Let's go back soon.

● **Point** へんかの ひょうげん

---*ni narimasu* expresses a change that occurs naturally.

A < な形容詞＋に＋なります／なりました >
Na adjective + *ni* + *narimasu* / *narimashita*

◇「げんきな」＋「に」＋「なります」
 genkina + ni + narimasu

→げんきに なります。
 genkini narimasu (become healthy)

1．イムさんは せんしゅう びょうきでしたが、もう げんきに なりました。
 Im-san was sick last week. He has recoverd.

2．じゅぎょうが おわりました。学校が しずかに なりました。
 School is over. It's quiet now.

3．ゆうがたに なって、まちが にぎやかに なりました。
 It is now evening. The town has come alive.

B < 名詞＋に＋なります／なりました >
Noun + *ni* + *narimasu* / *narimashita*

◇「なつ」＋「に」＋「なります」
 natsu + ni + narimasu

→なつに なります。
 natsu ni narimasu. (become summer)

1．ゆうがたに なって、まちが にぎやかに なりました。
 It is now evening. The town has come alive.

2．高子さんは もう おとなに なりました。
 Takako-san has grown up.

3．わたしは らいげつ ２２さいに なります。
 I shall be 22 years old next month.

だいじな表現

30-1 〜く します

スカートが 長いです。みじかく して ください。
This skirt is too long. Could you please take it up?

● Point　へんかの ひょうげん

---ku shimasu expresses a volitional change i.e. one that is brought about on purpose.

< い形容詞＋く＋します／ました >

I adjective + *ku* + *shimasu* / *shimashita*

◇「大きい」＋「く」＋「します」

ookii + ku + shimasu

→大きく します

ookiku shimasu (make bigger)

1. 子どもが ねたから、テレビの おとを 小さく しました。
The children went to sleep, so I turned the volume on the TV down.

2. この スープ つめたいです。あたたかく して ください。
This soup is cold. Please make it warm.

3. A「かおを 白く する クリームを 買いませんか。」
   B「いいえ、けっこうです。いりません。」
A: Would you like to buy some cosmetic cream that makes your skin whiter?
B: No, thank you. I won't take it.

4. だいじな表現

30-2 〜に します

A ちょっと うるさいですから、もう 少し しずかに して ください。

Excuse me. The noise is too loud. Could you please be a little quieter?

● **Point** へんかの ひょうげん

---*ni shimasu* express a volitional change i.e. one that is brought about on purpose.

A ＜ な形容詞＋に＋します／しました ＞

Na adjective + *ni* + *shimasu* / *shimashita*

◇ 「じょうぶな」＋「に」＋「します」

jyoubuna + *ni* + *shimasu*

→じょうぶに します。

jyoubuni shimasu. (make stronger)

うんどうをして、からだを じょうぶに します。

I want to make my body stronger.

B ＜ 名詞＋に＋します／しました ＞

noun + *ni* + *shimasu* / *shimashita*

◇ 「ジャム」＋「に」＋「します」

jam + *ni* + *shimasu*

→ジャムに します。

jam ni shimasu. (turn into jam)

母は よく くだものを ジャムに します。

My mother often turns fruits into jam.

（＝くだもので ジャムを つくります。）

181

㉛ だいじな表現 だんだん

1月と 2月は さむいですが、3月には **だんだん** あたたかく なります。

January and February are cold, but the weather becomes warmer and warmer in March.

● Point **だんだん**（〜なります）

　　　＝少しずつ（〜なります）

　　　sukoshi zutsu (little by little)

1. 毎日 くすりを 飲みました。びょうきが **だんだん** よく なりました。
   I took medicine every day and gradually recovered.

2. わたしは 子どもの とき やさいが きらいでしたが、**だんだん** すきに なりました。
   Although I didn't like vegetables when I was a child, I have gradually come to like them.

3. この テレビは おととし 80,000円でした。きょ年 75,000円 に なって、今年 65,000円に なりました。**だんだん** 安く なりました。
   This television cost ¥80,000 two years ago. Last year it cost ¥75,000, and this year it is ¥65,000. The price has come down steadily.

4. だいじな表現

だいじな表現
㉜ もう・まだ

１０月ですが、**もう** ゆきが ふりました。**もう** さむいです。
　　　　　　　　It is (only) October but it has already snowed. It is already cold.

１２月ですが、**まだ** ゆきが ふりません。**まだ** あたたかいです。
　　　　　　　　It is December but it still has not snowed. It is still warm.

● **Point**　**もう**＝［変化があった］　　*Mou* = there has been a change

　　　　　　まだ＝［変化がない］　　*Mada* = there is still no change

1. キムさんは **もう** いえに かえりました。**もう** ここに いません。でも、リンさんは **まだ** かえりません。**まだ** います。
　　Kim-san has already returned home. He is no longer here. But *Lin-san* has not left (returned). He is still here.

2. たくさん 買いものを しましたから、**もう** お金が ありません。
　　I did a lot of shopping so no longer have any money.

3. たくさん 買いものを しましたが、**まだ** お金が あります。
　　I did a lot of shopping but still have money.

4. A「しごとは **もう** おわりましたか。」
　　B「はい、**もう** おわりました。」
　　A「では、ごはんを 食べに 行きませんか。」
　　B「ええ、行きましょう。」
　　⇒Bさんは **もう** しごとを しません。
　　A: Have you finished work?
　　B: Yes, I'm finished.
　　A: Shall we go and have something to eat?
　　B: Yes, let's go.
　　→ B will not work anymore.

5. A「しごとは **もう** おわりましたか。」
　　B「いいえ、**まだ**です。」
　　A「では、わたしは 先に かえります。また、あした。」
　　⇒Bさんは **まだ** しごとを します。
　　A: Have you finished work?
　　B: No, not yet.
　　A: Well, I'm going to leave now (literally: leave before you). I'll see you tomorrow.
　　→ B is still working.

だいじな表現　練習問題 <もんだい1>

✏️ ＿＿＿に　何を　入れますか。1・2・3・4から　いちばん　いい　ものを　一つ　えらんで　ください。

① はじめに　日本語を　べんきょうします。＿＿＿＿　日本の　会社で　はたらきたいです。

1. それから　　2. だんだん　　3. ちょうど　　4. それでは

② 「コーヒーを　もっと　いかがですか。」
「じゃあ、＿＿＿＿　少し　いただきます。」

1. もう　　2. ちょっと　　3. だけ　　4. ちょうど

③ 「今日の　じゅぎょうは　ここまでです。」
「＿＿＿＿　みなさん　また　あした。さようなら。」

1. それから　　2. それまで　　3. それでは　　4. それでも

④ 日本語の　べんきょうを　＿＿＿＿あとで、　大学に　入りたいです。

1. したの　　2. した　　3. して　　4. する

⑤ 「＿＿＿＿　きのう　会社を　休みましたか。」
「あたまが　いたかったからです。」

1. どう　　2. どうして　　3. どうも　　4. どなた

⑥ 山下先生の　じゅぎょうは　＿＿＿＿　つまらないですが、たいてい　おもしろいです。

1. あまり　　2. いつも　　3. ときどき　　4. よく

⑦ A「こちらの　くつは　いかがですか。」
B「ちょっと　小さいです。」
A「じゃ、こちらは？」
B「あ、これは　＿＿＿＿　いいです。」

1. また　　2. もう　　3. たいてい　　4. ちょうど

答え：1-1、2-1、3-3、4-2、5-2、6-3、7-4

4. だいじな表現

8 わたしは　としょかんに　＿＿＿＿＿　行きます。おもしろい　本が　たくさん　あるからです。
　　1. よく　　　2. だんだん　　3. どうも　　4. あまり

9 うちから　学校まで　＿＿＿＿＿　1時間　かかります。
　　1. ぜんぶ　　2. ちょっと　　3. よく　　4. ちょうど

10 「よく　りょこうしますか。」
　　「いいえ、＿＿＿＿＿　しません。いそがしいですから。」
　　1. あまり　　2. よく　　3. ときどき　　4. いつも

11 父は　おさけが　だいすきです＿＿＿＿＿、わたしは　あまり　すきでは　ありません。
　　1. から　　2. とき　　3. でも　　4. が

12 「学生は　おおぜい　来ましたか。」
　　「いいえ、3人＿＿＿＿＿　来ませんでした。わたしと　トムさんと　アンさんです。」
　　1. だけ　　2. もう　　3. しか　　4. ちょうど

13 「ラジオを　聞きますか。」
　　「あまり　聞きませんが、＿＿＿＿＿　聞きます。」
　　1. ときどき　　2. たくさん　　3. たいへん　　4. とても

14 ＿＿＿＿＿　りょうりが　すきですか。
　　1. どう　　2. どんな　　3. いかが　　4. どれ

15 「それじゃ、さようなら。」
　　「さようなら。＿＿＿＿＿　らいしゅう。」
　　1. また　　2. まだ　　3. もう　　4. それから

答え：8-1、9-4、10-1、11-4、12-3、13-1、14-2、15-1

だいじな表現　練習問題 〈もんだい1〉

16 あの　店の　りょうりは　高いです。＿＿＿＿　とても　おいしいですよ。
　　1. それから　　2. では　　　3. それでは　　4. でも

17 この　おかしは　＿＿＿＿　おいしく　ありません。
　　1. とても　　2. たいへん　　3. あまり　　4. ちょうど

18 おかしが　二つ　ありますから、一つ＿＿＿＿　食べましょう。
　　1. と　　2. も　　3. ずつ　　4. くらい

19 毎日　9時間＿＿＿＿　ねます。
　　1. しか　　2. ごろ　　3. ずつ　　4. くらい

20 サンドイッチを　おねがいします。あ、＿＿＿＿　コーヒーも　おねがいします。
　　1. それでは　　2. それも　　3. それまで　　4. それから

21 わたしは　べんきょうが　きらいでした。でも、＿＿＿＿　すきに　なりました。
　　1. だんだん　　2. ときどき　　3. たいてい　　4. もっと

22 「何時に　こちらに　つきますか。」
　　「11時＿＿＿＿　そちらに　つきます。」
　　1. くらい　　2. ごろ　　3. とき　　4. まで

23 あねは　おんがくが　すきで、＿＿＿＿　おんがくを　聞いて　います。
　　1. とても　　2. いつも　　3. おおぜい　　4. ちょっと

答え：16-4、17-3、18-3、19-4、20-4、21-1、22-2、23-2

4. だいじな表現

(24) 日ようびは _____ あさ おそく おきます。でも、ときどき はやく おきます。
1. たいてい　2. あまり　3. ちょうど　4. たいへん

(25) 「どこの 国の りょうりが すきですか。」
「_____ じぶんの 国の りょうりが すきです。」
1. それでは　2. もっと　3. たいてい　4. もちろん

(26) はる_____ なりました。 まいにち あたたかいです。
1. が　2. に　3. を　4. で

(27) べんきょうは むずかしくて たいへんだ。_____、学校は とても たのしい。
1. それから　2. しかし　3. なぜ　4. それが

(28) あしたは 父も 母も 出かけます。わたし_____ うちに います。
1. だけ　2. しか　3. くらい　4. など

(29) ゆみ子は _____ 学校を 休みます。きのうも 休みました。
1. たいへん　2. あまり　3. とても　4. よく

(30) わたしは ごはんを _____とき、はしを つかいません。
1. 食べるの　2. 食べて　3. 食べる　4. 食べます

(31) 京都へ _____ とき、京都の 古い たてものの しゃしんを たくさん とりました。
1. 行く　2. 行って　3. 行った　4. 行き

答え：24-1、25-4、26-2、27-2、28-1、29-4、30-3、31-3

だいじな表現　練習問題 <もんだい1>

32
「この　ジュースは　つめたくないですね。」
「そうですね。れいぞうこで　つめたく　＿＿＿＿＿。」
1. いましょう　2. 入れましょう　3. しましょう　4. なりましょう

33
「子どもは　まだ　ねて　いますか。」
「いいえ、＿＿＿＿＿　おきました。」
1. だんだん　　2. ときどき　　3. ちょっと　　4. もう

34
「なつやすみに　何を　しましたか。」
「やまへ　行ったり、うみで　＿＿＿＿＿　しました。」
1. およぎ　　2. およいだり　　3. およいで　　4. およぐ

35
「日本語は　むずかしいですね。」
「ええ。でも、ロシア語は　＿＿＿＿＿　むずかしいですよ。」
1. もっと　　2. もう　　3. ちょうど　　4. いつも

36
カーテンを　あけました。へやが　あかるく　＿＿＿＿＿。
1. しました　　2. なりました　　3. やりました　　4. とりました

37
「新しい　しごとは　＿＿＿＿＿　ですか。」
「おもしろいです。」
1. どう　　2. どんな　　3. 何　　4. どうして

38
「もう　ごはんを　食べましたか。」
「いいえ、＿＿＿＿＿。」
1. あとです　　2. まだです　　3. まえです　　4. またです

答え：32-3、33-4、34-2、35-1、36-2、37-1、38-2

だいじな表現　練習問題 <もんだい2>

4. だいじな表現

✏️ ___ ★ に 入る ものは どれですか。1・2・3・4から いちばん いい ものを 一つ えらんで ください。

① 日本語の ___ ___ ★ ___ 、大学に 入りたいです。

　1. を　　　2. した　　　3. べんきょう　　　4. あとで

② ___ ___ ___ ★ 、ひこうきの きっぷを 買いました。

　1. に　　　2. りょこう　　　3. まえに　　　4. 行く

③ 「しゅくだいは もう しましたか。」
「いいえ、まだです。___ ___ ★ ___ します。」

　1. 食べて　　　2. ごはん　　　3. から　　　4. を

④ 今日は ___ ___ ★ ___ 、コートを きて 出かけます。

　1. さむく　　　2. から　　　3. とても　　　4. なりました

⑤ 「東京から シンガポール ___ ★ ___ ___ 。」
「3時間くらい かかります。」

　1. か　　　　　　　　2. どのくらい
　3. かかります　　　　4. まで

⑥ あの 人は ___ ___ ★ ___ います。

　1. すい　　　2. あるいて　　　3. ながら　　　4. たばこを

答え：1-2、2-3、3-1、4-4、5-2、6-3

189

1 会話の表現 〜を ください

> この ワイシャツを ください。
> I'll take this shirt please.

● **Point** 「おねがい」の ひょうげん
To make a request

＜名詞＋を＋ください＞

noun + *wo* + *kudasai*

1. A「すみません。その ちかてつの ちずを ください。」
   Excuse me, could I please have that subway map?
   B「はい、これですか。500円です。」
   This one? That will be ¥500.

2. A「ここに サインを ください。」
   Sign here please.
   B「ボールペンで 書きますか。」
   Shall I use a ball point pen?
   A「はい。おねがいします。」
   Yes, please.

3. 「すみません。何か つめたい 飲みものを ください。」
   Excuse me, could I please have a cold drink?

4. 「はがきを 1まいと きってを 4まい ください。」
   Could I please have one postcard and four stamps?

5. 「ぶたにくを 300グラムと、とりにくを 200グラム ください。」
   Could I please have 300 grams of pork and 200 grams of chicken?

5. 会話の表現

会話の表現 ②　～が　ほしいです

もっと　大きい　れいぞうこが　ほしいです。
I want a bigger refrigerator.

● **Point**　「きぼう」の　ひょうげん
To express a desire

＜名詞＋が＋ほしい／ほしいです＞
noun + *ga* + *hoshii* / *hoshii desu*

「もの／人／こと」が　ほしい
Something/someone *ga hoshii*

ほしいです
hoshii desu

1．A「お金が　ほしいなあ。」
　　It would be nice to have money.

　 B「ぼくは　時間が　ほしいよ。」
　　I want more free time.

2．A「何が　ほしい？」
　　What do you want?

　 B「わたしは　パソコンが　ほしい。」
　　I want a personal computer.

会話の表現
③ …が／を ～たい

おいしい ものが 食べたいです。
I want to eat something tasty.

● **Point** 「きぼう」の ひょうげん
To express a desire

＜わたしは＋が／を＋動詞［ます形］＋たい＞
Watashi wa + *ga/wo* + verb *masu*-form + *tai*

じぶんの きぼう
The speaker is always the subject.

1. つめたい 水が 飲みたい。
   I want to drink cold water.

2. 手が よごれて います。手を あらいたいです。
   My hands are dirty. I want to wash them.

3. くらい 道を あるきたく ありません。もっと あかるい
   道を あるきたいと おもいます。
   I don't want to walk along a dark street. I want to walk along a street that is better lit.

⚠ だいさんしゃの きぼう
「たい」→「たがって います」（辞書形：たがる）
When speaking about a third person, ---*tai* is replaced with ---*tagaru*.

×まきさんは サーフィンが したいです。
○まきさんは サーフィンを したがって います。
Maki-san wants to go surfing.

⚠ しつもんぶんで
When asking somebody a question, ---*tai* can be used.

○「あなたは 何が 食べたいですか。」
What do you want to eat?

○「どこへ 行きたいですか。」
Where do you want to go?

5. 会話の表現

会話の表現 ④ 〜ませんか

「来週 わたしの いえへ 来**ませんか**。」
Won't you come to my house next week?

「はい、行きます。ありがとう。」
Yes, I will (go). Thank you.

● **Point** 「さそい」の ひょうげん
To invite/ask/tempt

＜動詞＋**ませんか**＞
verb + *masen ka*

1. A「えいがを 見に 行き**ませんか**。」
   Would you like to go to the movie?

   B「どんな えいが ですか。」
   What kind of movie?

   A「どうぶつの えいが です。」
   It's a film of animals.

2. A「来年、けっこんし**ませんか**。」
   Shall we get married next year?

   B「ええ、しましょう。」
   Yes, let's do it.

3. A「いっしょに 山に のぼり**ませんか**。」
   Would you like to go mountain climbing together?

   B「ええ。どの 山に のぼりますか。」
   Yes, which mountain will we climb?

   A「あの 高い 山に のぼりましょう。」
   Let's climb that big mountain over there.

会話の表現 5 〜ましょう

さあ、ごはんを 食べ**ましょう**。
Well then, shall we have something to eat?

● Point 「さそい」の ひょうげん
To invite/ask/tempt

〈動詞＋**ましょう**〉
verb + *mashou*

1. ゆきが ふりましたね。スキーに 行き**ましょう**。
It snowed. Let's go skiing.

2. みなさん、がんばって しごとを やり**ましょう**。
Everyone, let's work hard together.

3. くらく なりました。電気を つけ**ましょう**。
It has become dark. I will turn on the (electric) light.

▼ 「さそい」を うけるときにも つかう。
Accepting an invitation

4. A 「１２時ですね。ごはんを 食べに 行きませんか。」
It's 12:00. Shall we go and have some lunch?

　 B 「ええ、行き**ましょう**。」
Yes, let's go.

5. A 「じかんが ありません。タクシーで 行きませんか。」
I don't have time. Shall we go by taxi?

　 B 「ええ、そう し**ましょう**。」
Yes, let's do that.

5. 会話の表現

⑥ （たぶん）～でしょう

あしたは **たぶん** 雨が ふる**でしょう**。
It will probably rain tomorrow.

● **Point** 「すいそく」の ひょうげん
To make a guess

あしたは **たぶん**

いい	天気**でしょう**。 (Noun)
天気が	いい**でしょう**。 (*I* adjective)
	はれる**でしょう**。 (Verb)

A「今日は いい 天気ですね。」
　　The weather is magnificent today, isn't it?
B「あしたも いい 天気でしょうか。」
　　Do you think it will be fine tomorrow?
A「わかりませんが、**たぶん** いい 天気**でしょう**。」
　　I don't know. It will probably be fine.

1. 山下さんは びょうきだから、**たぶん** 来ない**でしょう**。
　　Yamashita-san is sick, so she probably won't come today.
2. あの えいがは **たぶん** おもしろい**でしょう**。
　　That movie is probably interesting.
3. チャンさんは 香港の 人ですから、**たぶん** えい語が わかる**でしょう**。
　　Chan-*san* is from Hong Kong, so he might understand English.

会話の表現

⑦ はじめまして
どうぞ よろしく
こちらこそ

A 「わたしは キムです。かんこくから 来ました。
はじめまして。どうぞ よろしく。」
How do you do? My name is Kim. I am Korean.

B 「**こちらこそ どうぞ よろしく。**」
Nice to meet you. (The pleasure is mine)

● **Point** 「あいさつ」の ひょうげん
Greetings

A「**はじめまして。どうぞ よろしく。**」

　　はじめて あった 人に 言う。
　　This is a greeting used when meeting someone for the first time.

B「**こちらこそ。**」

　＝わたしも〜
　　I also

　（わたしも） どうぞ よろしく おねがい します。
　　I am pleased to meet you, too.

　（わたしも） ありがとう。
　　I am also grateful.

　（わたしも） ごめんなさい。
　　I am also sorry.

1. A「ありがとう。」
　　Thank you.

　B「**こちらこそ、**（ありがとう）。」
　　No, it is I who should thank you.

2. A「きのうは しつれいしました。」
　　Sorry about yesterday. (Sorry, I was rude yesterday.)

　B「**こちらこそ、**（すみませんでした）。」
　　No, not at all. (Sorry to trouble you.)

5. 会話の表現

⑧ どう いたしまして

「どうも ありがとうございます。」
Thank you.
「いいえ、**どう いたしまして。**」
That's all right.

A 「ありがとう。」　　　　**B** 「どう いたしまして。」
　　　Thank you.　　　　　　　　　That's all right

「ごめんなさい。」
I'm sorry.

「すみません。」
Excuse me.

⑨ 会話（かいわ）の表現（ひょうげん）
すみません

A **すみません**。おてあらいは どこですか。
　　Excuse me, where is the toilet?

● Point ＝「おねがいします。」
　　＝*onegaishimasu.* (please favor me)

「おねがい」の ひょうげん
　　Sumimasen is commonly used when making a request.

1. **すみません**。80円（はちじゅうえん）の きってを 5（ご）まい ください。
　　Excuse me. Could I please have five ¥80 stamps?

2. **すみません**が、この じしょを かして ください。
　　Excuse me, could you please lend me this dictionary?

3. A「**すみません**、ちょっと おねがいします。」
　　Excuse me, I have a favor to ask.

　 B「はい、何（なん）ですか。」
　　Yes, what is it?

B 「これ、おかしです。どうぞ。」「あ、どうも **すみません**。」
　　Here is sweets. Please.　　　　Oh, thank you.

● Point （どうも）**すみません**。＝「ありがとう。」
　　(*doumo*) *sumimasen.* ＝*arigatou.* (thank you)

「おれい」の ひょうげん
　　When expressing thanks

1. A「ハンカチが おちましたよ。」
　　You dropped your handkerchief.

　 B「あ、どうも **すみません**。」
　　Oh, thank you.

2. A「にもつ、もちましょうか。」
　　Shall I take your luggage?

　 B「**すみません**ね。」
　　Thank you.

　 A「いいえ。」
　　Not at all.

会話の表現

C 「ここに 車を とめないで ください。」
　　Please don't leave your car here.

「はい、わかりました。どうも すみません。」
　　Oh, excuse me.

● **Point**　（どうも）**すみません。**＝「ごめんなさい。」

Sumimasen is used when apologizing.

「あやまる」ときの ひょうげん

(doumo) sumimasen. = Excuse me. / I'm sorry.

1. おそくなって、**すみません。**
　　Sorry I'm late.

2. A「ここで たばこを すわないで ください。」
　　　Please don't smoke here.

　　B「あ、どうも **すみません。**」
　　　Oh, sorry.

会話の表現
10 いただきます・ごちそうさま

A 「コーヒー、いかがですか。」
　　Would you like some coffee?
　　「じゃあ、**いただきます**。」
　　Yes please.

B 「とても　おいしかったです。**ごちそうさま**。」
　　That was delicious. Thank you.

A 「**いただきます**。」

● **Point**　食べるまえ、飲むまえに　言う　ひょうげん
Itadakimasu is used (among other things) to accept an offer of food or drink.

B 「**ごちそうさま**。」

● **Point**　食べたあと、飲んだあとで　言う　ひょうげん
Gochisou sama is used to express gratitude for receiving food or drink.

会話の表現

⑪ けっこうです

A「今 お金を あまり もって いません。カードでも いいですか。」
I don't have a lot of money today. Can I pay by card?

「ええ、**けっこうです**。」
Yes, that's fine.

● Point ＝「いいです。」「だいじょうぶです。」
That's fine. That's ok.

A「パスポートに はる しゃしんは、これで いいですか。」
Is this photograph all right for my passport?

B「はい、それで **けっこうです**。」
Yes, that's fine.

1. A「あかい ボールペンは ありませんか。」
Do you have any red pens?

   B「すみません。今 あかいのが ありません。
Sorry. I don't have them at the moment.

   こちらのオレンジいろのは だめでしょうか。」
Is this orange pen any good?

   A「**けっこうです**。その オレンジいろのを ください。」
That's fine. I'll take that please.

2. 今日 お金を もって いない かたは、あしたでも **けっこうです**。
Those of you who don't have money today may pay tomorrow.

会話の表現

B 「コーヒー、いかがですか。」
　　Would you like some coffee?

「もう **けっこうです**。」
　　No, I'm fine thank you.

● **Point**　**ていねいに　ことわる　ときの　ひょうげん**
　　　　　　　　A polite form of refusal

＝「いりません。」「ほしくないです。」
　　I don't need.　　I don't want.

A「もう 少し いかがですか。」
　　Would you like some more?

B「あ、わたしは　もう　**けっこうです**。ごちそうさま。」
　　No thank you, I'm fine.

もう 少し いかがですか。

あ、わたしは もう けっこうです。ごちそうさま。

5. 会話の表現

会話の表現 12 たいへんです

「日(にち)ようびも 休(やす)まないで はたらいて います。」
I won't even have a break on Sunday (from work).

「そうですか。それは たいへんですね。」
Is that right! That's tough.

● Point

しごとが たくさんあります。
There is a lot of work.

べんきょうが むずかしいです。
Study is difficult.

母(はは)が びょうきです。
My mother is sick.

= たいへんです。
taihen desu

1. あした かんじの テストが あります。こんばん ねないで かんじを おぼえます。**たいへんです。**
I have a *kanji* test tomorrow. I will be studying (memorizing) all night and will not sleep. It's tough.

2. A「父(ちち)が びょうきに なりましたから、国(くに)へ かえります。」
   B「そうですか。それは **たいへんですね。**」
A: I am returning to my country because my father has become ill.
B: Really, that is awful.

3. A「じこで でんしゃが とまりました。ここまで、3時間(さんじかん) かかりました。」
   B「それは **たいへんでしたね。**」
A: The train stopped because of an accident. It took three hours to get here.
B: What a disaster.

会話の表現　練習問題

_____に 何を 入れますか。1・2・3・4から いちばん いい ものを 一つ えらんで ください。

1
「おかしを もう 少し いかがですか。」
「もう _____ 。ごちそうさま。」
1. けっこうです　　　2. 食べましょう
3. 食べました　　　　4. いただきます

2
「休みに 何を しますか。」
「まだ わかりません。どこかへ _____ たいです。」
1. りょこうし　　　　2. りょこうして
3. りょこうする　　　4. りょこうします

3
スミスさんは _____ アメリカ人でしょう。おにいさんと
えいごで 話して いましたから。
1. いつも　　2. なぜ　　3. もっと　　4. たぶん

4
「毎日 9時ごろまで 会社で はたらいて います。」
「_____ 。」
1. それは よくできました　　2. そうでしょう
3. それは たいへんですね　　4. そうですね

5
「かんじが わかりませんから、ひらがなで 書きます。
いいですか。」
「はい。_____ 。」
1. すみません　　　　2. けっこうですよ
3. どう いたしまして　4. こちらこそ

6
「おそくなって、ごめんなさい。」
「いいえ、_____ 。」
1. けっこうです　　　2. どう いたしまして
3. わかりました　　　4. ちがいます

7
「どうぞ たくさん 食べて ください。」
「はい、_____ 。」
1. けっこうです　　　2. いただきます
3. そうです　　　　　4. どうぞ よろしく

答え：1-1、2-1、3-4、4-3、5-2、6-2、7-2

5. 会話の表現

8 ああ、おいしかった。＿＿＿＿。
　1. ごちそうさま　　　　　　2. いただきます
　3. どうぞ　よろしく　　　　4. こちらこそ

9 「はじめまして。わたしは　日本大学の　北山です。」
「はじめまして。＿＿＿＿。」
　1. どうも　ありがとう　　　2. おかげさまで
　3. どうぞ　よろしく　　　　4. おねがいします

10 「きのうは　きれいな　花を　どうも　ありがとう　ございました。」
「＿＿＿＿。」
　1. どうぞ　よろしく　　　　2. ごちそうさま
　3. どう　いたしまして　　　4. けっこうです

11 「＿＿＿＿。ゆうびんきょくは　どこに　ありますか。」
「あそこです。」
　1. わかりません　　　　　　2. すみません
　3. しりません　　　　　　　4. ありません

12 リンさんは　「魚が　すきです。」と　言いましたから、たぶん　さしみを　食べる＿＿＿＿。
　1. です　　2. でしょう　　3. ます　　4. ましょう

13 すみません。切手を　2まい　＿＿＿＿。
　1. ください　　2. あります　　3. たいです　　4. なります

14 「あついですね。あの　店で　アイスクリームを　食べませんか。」
「いいですね。＿＿＿＿。」
　1. 食べましょう　　　　　　2. 食べるでしょう
　3. 食べませんよ　　　　　　4. 食べてください

答え：8-1、9-3、10-3、11-2、12-2、13-1、14-1

著者紹介

◆ **星野 恵子**（HOSHINO, Keiko）：改訂版編・著
　名古屋大学総合言語センター講師、ヒューマンアカデミー日本語学校講師、現在、拓殖大学日本語教育研究所講師

◆ **松本 節子**（MATSUMOTO, Setsuko）著
　言語文化研究所付属東京日本語学校(長沼)、文教大学言語文化研究所講師、国際教育振興会(日米会話学院)日本語研修所講師を経て、現在、Japanese Language & Culture Institute 代表

◆ **デミアン・ウォーリス**（WALLIS, Damian）：英文訳

イラスト
　藤崎 淳子
　杉本 千恵美（花色木綿）
カバーデザイン
　前川 詩乃
DTP
　髙原 はるみ

実力アップ！日本語能力試験 N5 読む（文字・語彙・文法）改訂版

2010年4月25日 初版発行
2021年11月15日 第8刷発行

［著　者］　星野恵子＋松本節子 2010 ⓒ
［発行者］　片岡 研
［印刷所］　大野印刷株式会社
［発行所］　株式会社ユニコム
　　　　　　Tel.03-5496-7650　Fax.03-5496-9680
　　　　　　〒153-0064　東京都目黒区下目黒1-2-22-702
　　　　　　http://www.unicom-lra.co.jp

ISBN978-4-89689-472-1

■本文等の無断転載複製を禁じます

好評発売中！
ドリル＆ドリル 日本語能力試験シリーズ

豊富な問題にチャレンジして、自分で解く。分からない箇所が浮き彫りになる。ていねいな解説・解答（別冊）を得て納得。学習者はもちろん、教師も助かる詳しい解説書。
（N1〜N3 英語・中国語・韓国語／N4 英語／N5 英語・ベトナム語訳付）

N1 文法	ISBN 978-4-89689-479-0	1,300 円
N1 聴解・読解	ISBN 978-4-89689-480-6	2,600 円
N1 文字・語彙	ISBN 978-4-89689-483-7	1,300 円
N2 文法	ISBN 978-4-89689-476-9	1,200 円
N2 聴解・読解	ISBN 978-4-89689-477-6	2,600 円
N2 文字・語彙	ISBN 978-4-89689-478-3	1,300 円
N3 文法	ISBN 978-4-89689-486-8	1,400 円
N3 聴解・読解	ISBN 978-4-89689-493-6	2,400 円
N3 文字・語彙	ISBN 978-7-89689-487-5	1,400 円
N4 文字・語彙/文法/読解/聴解	ISBN 978-7-89689-497-4	2,500 円
N5 文字・語彙/文法/読解/聴解	ISBN 978-7-89689-506-3	2,500 円

実力アップ！ 日本語能力試験シリーズ

見やすい、分かりやすい。豊富な例文と分かりやすい解説。練習問題が多くて学習計画が立てやすい。漢字や語彙も自然に身につく。英語と中国語（N4・N5・「N2漢字単語」は英語のみ）の翻訳がある。

N1 文のルール	ISBN 978-4-89689-482-0	1,800 円
N1 読む	ISBN 978-4-89689-474-5	2,000 円
N1 聞く	ISBN 978-4-89689-484-4	2,300 円
N2 文のルール	ISBN 978-4-89689-481-3	1,700 円
N2 読む	ISBN 978-4-89689-488-2	2,100 円
N2 聞く	ISBN 978-4-89689-475-2	2,200 円
N2 漢字単語	ISBN 978-4-89689-498-1	2,100 円
N3 文のルール	ISBN 978-4-89689-469-1	1,600 円
N3 読む	ISBN 978-4-89689-471-4	1,800 円
N3 聞く	ISBN 978-4-89689-470-7	2,200 円
N4 読む	ISBN 978-4-89689-494-3	2,100 円
N4 聞く	ISBN 978-4-89689-495-0	2,300 円
N5 読む	ISBN 978-4-89689-472-1	1,900 円

※価格は税抜価格です。